Collection dirigée par
Hélène Potelet et Georges Décote

Jean Racine

Andromaque

classiques Hatier

Texte intégral

Un genre

La tragédie classique

Groupement de textes

Les héroïnes de l'Antiquité

HOMÈRE, SOPHOCLE, Jean ANOUILH, Jean GIONO

Paris 2005
ISBN 978-2-218-75113-4
ISSN 0184 0851

Marguerite Vaudel,
agrégée de lettres classiques

L'air du temps

1667, la première d'*Andromaque*

■ Le 17 novembre 1667, Racine fait jouer *Andromaque*, pièce qu'il dédia à Madame, la belle et spirituelle Henriette d'Angleterre, épouse du frère de Louis XIV. C'est un triomphe. Il a vingt-huit ans.

■ Louis XIV règne en monarque absolu depuis 1661. Il a vingt-neuf ans et impose sa puissance en concentrant tous les pouvoirs entre ses mains. Le roi et sa cour éblouissent l'Europe entière.

À la même époque...

■ **Louis** XIV embellit Versailles et s'entoure des meilleurs artistes de son temps : Le Vau l'architecte, Le Brun le décorateur, et Le Nôtre qui dessine les jardins.

■ **Les Gobelins** deviennent manufacture royale par édit de Louis XIV.

■ **Lulli**, avec sa troupe de musiciens « les petits violons », compose des ballets que le Roi dansait lui-même.

■ **Rembrandt** peint *La Fiancée juive*.

Sommaire

Introduction 5

Première partie

Racine : « Andromaque » (1667)

Acte I

Scène 1 11
Scène 2 21
Scènes 3 et 4 28

Acte II

Scène 1 38
Scène 2 44
Scènes 3 et 4 52
Scène 5 55

Acte III

Scène 1 62
Scènes 2 et 3 69
Scènes 4 et 5 73
Scènes 6 et 7 79
Scène 8 87

Acte IV

Scène 1 94
Scènes 2, 3 et 4 99
Scènes 5 et 6 109

Acte V

Scène 1 115
Scène 2 118
Scènes 3 et 4 122
Scène 5 128

Questions de synthèse 133

Deuxième partie

Groupement de textes : Les héroïnes de l'Antiquité

Introduction 136
Sophocle, *Antigone* 138
J. Anouilh, *Antigone* 141
Homère, *L'Iliade*, « Hélène » 145
N. Kazantzaki, *Bilan d'une vie*, « Hélène » 147
Homère, *L'Odyssée*, « Pénélope » 151
J. Giono, *Naissance de l'Odyssée*, « Pénélope » 152

Petit lexique des noms propres 157

Index des rubriques 160

Portrait de Racine.

Introduction

Racine (1639-1699)

Une formation classique

Né en 1639 à la Ferté-Milon, de parents bourgeois modestes, Jean Racine est orphelin à trois ans. En 1649, sa grand-mère, veuve, se retire au couvent de Port-Royal-des-Champs, abbaye de femmes et foyer du Jansénisme[1].
Cet événement sera déterminant pour l'avenir de Jean Racine : recueilli avec sa grand-mère, il est accepté comme élève aux Petites Écoles de Port-Royal. Il y bénéficie, en latin et en grec, aussi bien qu'en rhétorique française, d'une formation littéraire exceptionnelle, dispensée par les plus grands maîtres de l'époque.

L'entrée dans le monde et à la cour de Louis XIV

Après avoir espéré devenir abbé, en 1661, il se lance à la conquête du monde aristocratique et littéraire. Il fréquente des salons, où il peut suivre les débats sur l'amour remis à la mode par les romans précieux de Madeleine de Scudéry (*Le Grand Cyrus*, 1649-1653 et *Clélie*, 1654-1660).
Il s'y fait des relations, publie des œuvres de circonstance. En 1663, il obtient de figurer sur la première liste des gratifications que le jeune roi Louis XIV, soucieux de sa gloire et protecteur déclaré des Arts, accorde aux hommes de lettres qui le distraient, l'émeuvent ou flattent son goût de la puissance.
En même temps, décidé à percer au théâtre, Racine écrit des pièces mêlant histoire ancienne et galanterie romanesque, dans le goût de l'époque. *La Thébaïde* et surtout *Alexandre* en 1665, le font connaître.

Le temps des succès

De 1667, année du triomphe d'*Andromaque*, à 1677, année de la création de *Phèdre*, le succès du dramaturge ne se dément pas, malgré

1. Courant austère du christianisme qui fut considéré comme hérétique et persécuté à partir de 1656.

les querelles et les cabales[2]. Il produit sept chefs-d'œuvre en moins de 10 ans ; à la cour comme en ville, le public salue en lui le successeur génial du grand Corneille, celui dont désormais la poésie noble et émouvante est en parfait accord avec l'esprit du siècle.

L'homme de théâtre jouit de sa réussite : il a des liaisons avec des actrices célèbres, vit confortablement de ses revenus. Il a de puissants protecteurs à la cour. Élu en 1673 à l'Académie française, il est nommé historiographe du roi en 1677, avec Boileau[3].

Cette charge, honorifique et très bien rémunérée, fait de l'écrivain un courtisan en vue. Il renonce à la création littéraire, se rapproche des jansénistes qu'il avait reniés au début de sa carrière théâtrale.

À Versailles, le roi vieillissant, la galanterie cède le pas à la dévotion sous l'influence de Madame de Maintenon, sa nouvelle favorite. Racine composera à sa demande ses deux dernières tragédies, d'inspiration biblique : *Esther* et *Athalie*.

À sa mort, en 1699, il sera enterré à Port-Royal.

La tragédie classique

Quand Racine écrit *Andromaque*, la tragédie classique française est déjà un genre bien établi.

Corneille connaît la gloire depuis trente ans. *Horace* en 1640, *Cinna* en 1642 sont considérées comme les premières grandes tragédies régulières. Avec l'abbé d'Aubignac, il a contribué par les préfaces et analyses de ses pièces, à en fixer les règles, qu'il a eu parfois bien du mal à respecter : unité d'action, de lieu, de temps, règles de la vraisemblance et des bienséances.

Le système dramatique de Racine tire de ces contraintes de composition l'expression même du tragique : prisonniers d'un même lieu, condamnés à prendre sans attendre une décision impossible, ses héros sont acculés en cinq actes à la mort ou la folie.

Avec *Andromaque*, le tragique est pour la première fois lié à une fatalité intérieure : la passion amoureuse à laquelle sont livrés, sans

2. Manœuvres, intrigues dirigées contre quelqu'un.
3. Les deux écrivains vont suivre Louis XIV à la cour et lors de ses campagnes militaires pour rédiger l'histoire du règne.

recours possible, Hermione, Oreste et Pyrrhus. Face à cet amour dévastateur, raison d'État, morale, devoir, dignité humaine, tout est anéanti. Les héros, torturés par la prise de conscience de leur aliénation et de leur impuissance, s'entre-déchirent devant le spectateur saisi, comme dans la tragédie antique, « de terreur et de pitié ».

Les sources d'inspiration de Racine

Racine emprunte ses personnages à l'épopée d'Homère, l'*Iliade*, récit poétique de la prise de Troie par les Grecs.
D'après Homère, la guerre aurait éclaté à la suite de l'enlèvement de la belle Hélène, femme de Ménélas, roi de Sparte, par Pâris, un des cinquante fils du roi de Troie, Priam. Les rois grecs coalisés montent alors une expédition sous le commandement d'Agamemnon, frère de Ménélas, pour venger l'affront. Le siège de Troie dure dix ans. Le bouillant Achille, le plus brave des Grecs, qui s'est retiré du combat à la suite d'une dispute avec Agamemnon, finit par vaincre en combat singulier Hector, le plus valeureux des fils de Priam. D'autres poèmes épiques rapportent la fin de la guerre : quelques soldats grecs pénètrent dans la ville à l'intérieur d'un grand cheval de bois, imaginé par Ulysse ; ils font entrer de nuit le reste de l'armée qui, entraînée par Pyrrhus, le fils d'Achille, pille et incendie Troie, en massacre les habitants. Les chefs se partagent le butin : richesses et captives.
L'action d'*Andromaque* se situe un an après la chute de Troie ; Pyrrhus, Oreste et Hermione sont les enfants des héros grecs de l'*Iliade* ; Andromaque est la veuve d'Hector.
Leur histoire est encore bien connue du public cultivé qui va voir une tragédie au XVIIe siècle. L'*Iliade* et l'*Odyssée*, de même que les tragédies antiques d'Eschyle, de Sophocle, d'Euripide ou de Sénèque, qui en développent certains épisodes, revivent dans de nombreuses créations littéraires contemporaines. Les héros sont devenus des figures mythiques qui symbolisent un acte, un sentiment ou un destin exemplaires.
Ainsi, avec les adieux d'Andromaque à Hector au chant VI et ses lamentations sur le cadavre d'Hector au chant XXIV, l'*Iliade* fait naître, au milieu des combats, l'image émouvante d'une épouse tendre et aimante. Dans son *Andromaque* (424 av. J.-C.), Euripide peint la

douleur d'une mère, esclave et concubine, obligée de défendre Molossos, le fils qu'elle a eu de Pyrrhus, son maître, contre la jalousie féroce d'Hermione. Chez Virgile[4], le caractère d'Andromaque est ennobli par sa pieuse fidélité à son époux.

Le philosophe et dramaturge latin Sénèque est le premier à unifier les trois éléments de cette figure légendaire dans une situation purement tragique : dans *Les Troyennes* (49-62 ap. J.-C.), Andromaque doit livrer Astyanax ou voir les Grecs disperser les cendres d'Hector, outrage pire que la mort pour les Anciens.

Racine adapte le mythe aux mœurs de son temps : pour la civilisation chrétienne, où le mariage est un sacrement, il fait d'Andromaque le modèle idéal de l'épouse fidèle à un seul homme et de la mère dévouée à son fils unique. Dès lors, les exigences de Pyrrhus la placent sans compromis possible devant un dilemme insoluble : renier la foi jurée à jamais à son époux, ou perdre son fils. Il s'agit en réalité d'une fausse alternative, dont les deux propositions reviennent à trahir Hector, en tant que mari ou père, et à ôter à la veuve fidèle sa seule raison d'être. C'est ainsi que la plaintive Andromaque, qui pourtant ne connaît pas les fureurs de la passion, est projetée au cœur de la tragédie.

4. Voir dans la même collection : Virgile, l'*Énéide*, extrait 5.

Première partie

Andromaque

Racine

Antoine Coypel (1661-1722), *Les Adieux d'Hector et d'Andromaque*, détail, Tours, musée des Beaux-Arts.

Andromaque

Les personnages

ANDROMAQUE*, *veuve d'Hector, captive de Pyrrhus*

PYRRHUS*, *fils d'Achille, roi d'Épire*

ORESTE*, *fils d'Agamemnon*

HERMIONE*, *fille d'Hélène, accordée avec Pyrrhus*

PYLADE*, *ami d'Oreste*

CLÉONE*, *confidente d'Hermione*

CÉPHISE*, *confidente d'Andromaque*

PHŒNIX*, *gouverneur*[1] *d'Achille, et ensuite de Pyrrhus*

Suite D'ORESTE

La scène est à Buthrote*, ville d'Épire*, dans une salle du palais de Pyrrhus.

Les astérisques renvoient au lexique des noms propres, p. 157.

1. Personnage qui s'occupe de l'éducation du prince.

Acte premier

Scène première

Oreste, Pylade.

ORESTE

Oui, puisque je retrouve un ami si fidèle,
Ma fortune[2] va prendre une face nouvelle ;
Et déjà son courroux[3] semble s'être adouci,
Depuis qu'elle a pris soin de nous rejoindre ici.
5 Qui l'eût dit, qu'un rivage à mes vœux si funeste
Présenterait d'abord[4] Pylade aux yeux d'Oreste ?
Qu'après plus de six mois que je t'avais perdu,
À la cour de Pyrrhus tu me serais rendu ?

PYLADE

J'en rends grâces au ciel, qui, m'arrêtant sans cesse,
10 Semblait m'avoir fermé le chemin de la Grèce,
Depuis le jour fatal[5] que[6] la fureur des eaux
Presque aux yeux de l'Épire* écarta nos vaisseaux[7].
Combien dans cet exil[8] ai-je souffert d'alarmes !
Combien à vos malheurs ai-je donné de larmes,
15 Craignant toujours pour vous quelque nouveau danger
Que ma triste amitié ne pouvait partager !
Surtout je redoutais cette mélancolie[9]
Où j'ai vu si longtemps votre âme ensevelie.
Je craignais que le ciel, par un cruel secours[10],
20 Ne vous offrît la mort que vous cherchiez toujours.
Mais je vous vois, Seigneur ; et si j'ose le dire,
Un destin plus heureux vous conduit en Épire :

2. Destinée.
3. Colère.
4. Dès l'abord. À l'arrivée.
5. Marqué par le destin.
6. Où.
7. Sépara nos vaisseaux.
8. Séparation.
9. Tristesse profonde.
10. À la fois cruel et secourable.

Le pompeux appareil[11] qui suit ici vos pas
N'est point d'un malheureux qui cherche le trépas.

ORESTE

25 Hélas ! qui peut savoir le destin qui m'amène ?
L'amour me fait ici chercher une inhumaine[12].
Mais qui sait ce qu'il doit ordonner de mon sort,
Et si je viens chercher ou la vie ou la mort ?

PYLADE

Quoi ? votre âme à l'amour en esclave asservie
30 Se repose sur lui du soin[13] de votre vie ?
Par quel charme[14], oubliant tant de tourments soufferts,
Pouvez-vous consentir à rentrer dans ses fers[15] ?
Pensez-vous qu'Hermione*, à Sparte* inexorable,
Vous prépare en Épire un sort plus favorable ?
35 Honteux d'avoir poussé[16] tant de vœux superflus,
Vous l'abhorriez[17] ; enfin vous ne m'en parliez plus.
Vous me trompiez, Seigneur.

ORESTE

Je me trompais moi-même.
Ami, n'accable point un malheureux qui t'aime.
T'ai-je jamais caché mon cœur et mes désirs ?
40 Tu vis naître ma flamme[18] et mes premiers soupirs.
Enfin, quand Ménélas* disposa de sa fille
En faveur de Pyrrhus*, vengeur de sa famille[19],

11. Escorte. Signes extérieurs avec lesquels se présente quelqu'un.
12. Hermione, fiancée de Pyrrhus, est déjà dans le palais de Pyrrhus. Oreste l'aime mais Hermione est insensible à son amour.
13. Fait dépendre votre vie de votre amour.
14. Fascination exercée par une sorte de pouvoir magique.
15. Liens de l'amour.
16. Exprimé avec passion.
17. Aviez en horreur.
18. Passion amoureuse.
19. Pyrrhus, fils d'Achille, s'est battu pour venger Ménélas du rapt de sa femme Hélène.

Tu vis mon désespoir ; et tu m'as vu depuis
Traîner de mers en mers ma chaîne et mes ennuis[20].
45 Je te vis à regret, en cet état funeste,
Prêt à suivre partout le déplorable Oreste,
Toujours de ma fureur[21] interrompre le cours,
Et de moi-même enfin me sauver tous les jours.
Mais quand je me souvins que parmi tant d'alarmes
50 Hermione à Pyrrhus prodiguait tous ses charmes,
Tu sais de quel courroux mon cœur alors épris[22]
Voulut en l'oubliant punir tous ses mépris.
Je fis croire et je crus ma victoire certaine ;
Je pris tous mes transports[23] pour des transports de haine ;
55 Détestant ses rigueurs[24], rabaissant ses attraits,
Je défiais ses yeux de me troubler jamais.
Voilà comme[25] je crus étouffer ma tendresse.
En ce calme trompeur j'arrivai dans la Grèce ;
Et je trouvai d'abord ses princes rassemblés,
60 Qu'un péril assez grand semblait avoir troublés.
J'y courus. Je pensai que la guerre et la gloire
De soins[26] plus importants rempliraient ma mémoire[27] ;
Que mes sens[28] reprenant leur première vigueur,
L'amour achèverait de sortir de mon cœur.
65 Mais admire avec moi le sort dont la poursuite[29]
Me fait courir alors au piège que j'évite.
J'entends de tous côtés qu'on menace Pyrrhus ;
Toute la Grèce éclate en murmures confus ;
On se plaint qu'oubliant son sang[30] et sa promesse

20. Au sens fort, mes tourments.
21. Folie, égarement dû à la passion.
22. Saisi.
23. État d'exaltation ou d'abattement à la suite d'une émotion violente.
24. Indifférence face à l'amour déclaré.
25. Comment.
26. Soucis.
27. Esprit.
28. Esprit, raison, comme on dit « reprendre ses esprits ».
29. Le sort qui s'acharne sur moi en me faisant courir.
30. Désigne ici l'ensemble de la famille, la lignée.

70 Il élève en sa cour l'ennemi de la Grèce,
Astyanax*, d'Hector[31] jeune et malheureux fils,
Reste de tant de rois sous Troie* ensevelis.
J'apprends que pour ravir son enfance au supplice
Andromaque* trompa l'ingénieux Ulysse*,
75 Tandis qu'un autre enfant, arraché de ses bras,
Sous le nom de son fils fut conduit au trépas.
On dit que, peu sensible aux charmes d'Hermione,
Mon rival porte ailleurs son cœur et sa couronne ;
Ménélas, sans le croire, en paraît affligé,
80 Et se plaint d'un hymen[32] si longtemps négligé.
Parmi les déplaisirs[33] où son âme se noie,
Il s'élève en la mienne une secrète joie :
Je triomphe ; et pourtant je me flatte[34] d'abord
Que la seule vengeance excite ce transport.
85 Mais l'ingrate en mon cœur reprit bientôt sa place :
De mes feux mal éteints je reconnus la trace ;
Je sentis que ma haine allait finir son cours,
Ou plutôt je sentis que je l'aimais toujours.
Ainsi de tous les Grecs je brigue le suffrage[35].
90 On m'envoie à Pyrrhus : j'entreprends ce voyage.
Je viens voir si l'on peut arracher de ses bras
Cet enfant dont la vie alarme tant d'États :
Heureux si je pouvais, dans l'ardeur qui me presse,
Au lieu d'Astyanax lui ravir ma princesse !
95 Car enfin n'attends pas que mes feux redoublés
Des périls les plus grands puissent être troublés.
Puisqu'après tant d'efforts ma résistance est vaine,
Je me livre en aveugle au destin qui m'entraîne.

31. Hector a été tué par Achille, père de Pyrrhus.
32. Mariage.
33. Chagrin violent, désespoir.
34. J'ai l'illusion que.
35. Je cherche à me faire élire ambassadeur.

J'aime : je viens chercher Hermione en ces lieux,
100 La fléchir, l'enlever, ou mourir à ses yeux.
Toi qui connais Pyrrhus, que penses-tu qu'il fasse ?
Dans sa cour, dans son cœur, dis-moi ce qui se passe.
Mon Hermione encor le tient-elle asservi ?
Me rendra-t-il, Pylade, un bien qu'il m'a ravi[36] ?

PYLADE

105 Je vous abuserais[37] si j'osais vous promettre
Qu'entre vos mains, Seigneur, il voulût la remettre ;
Non que de sa conquête il paraisse flatté ;
Pour la veuve d'Hector ses feux ont éclaté :
Il l'aime. Mais enfin cette veuve inhumaine
110 N'a payé jusqu'ici son amour que de haine ;
Et chaque jour encore on lui voit tout tenter
Pour fléchir sa captive, ou pour l'épouvanter.
De son fils, qu'il lui cache, il menace la tête,
Et fait couler des pleurs, qu'aussitôt il arrête.
115 Hermione elle-même a vu plus de cent fois
Cet amant[38] irrité revenir sous ses lois,
Et de ses vœux troublés lui rapportant l'hommage,
Soupirer à ses pieds moins d'amour que de rage.
Ainsi n'attendez pas que l'on puisse aujourd'hui
120 Vous répondre d'un cœur si peu maître de lui :
Il peut, Seigneur, il peut, dans ce désordre extrême,
Épouser ce qu'il hait, et punir ce qu'il aime.

ORESTE

Mais dis-moi de quel œil Hermione peut voir
Son hymen différé, ses charmes sans pouvoir ?

36. Enlevé. | 37. Je vous tromperais. | 38. Celui qui aime.

PYLADE

125 Hermione, Seigneur, au moins en apparence,
Semble de son amant dédaigner l'inconstance,
Et croit que, trop heureux de fléchir sa rigueur,
Il la viendra presser de reprendre son cœur.
Mais je l'ai vue enfin me confier ses larmes.
130 Elle pleure en secret le mépris de ses charmes.
Toujours prête à partir et demeurant toujours,
Quelquefois elle appelle Oreste à son secours.

ORESTE

Ah ! si je le croyais, j'irais bientôt, Pylade,
Me jeter...

PYLADE

Achevez, Seigneur, votre ambassade.
135 Vous attendez le Roi[39]. Parlez, et lui montrez
Contre le fils d'Hector tous les Grecs conjurés.
Loin de leur accorder ce fils de sa maîtresse[40],
Leur haine ne fera qu'irriter sa tendresse[41].
Plus on les veut brouiller, plus on va les unir.
140 Pressez, demandez tout, pour ne rien obtenir.
Il vient.

ORESTE

Hé bien ! va donc disposer la cruelle
À revoir un amant qui ne vient que pour elle.

39. Il s'agit de Pyrrhus, roi d'Épire.
40. La femme aimée sans que l'amour soit nécessairement partagé.
41. Pyrrhus n'accordera pas aux Grecs le fils de sa maîtresse : au contraire, plus ils manifesteront de haine, plus il éprouvera de tendresse.

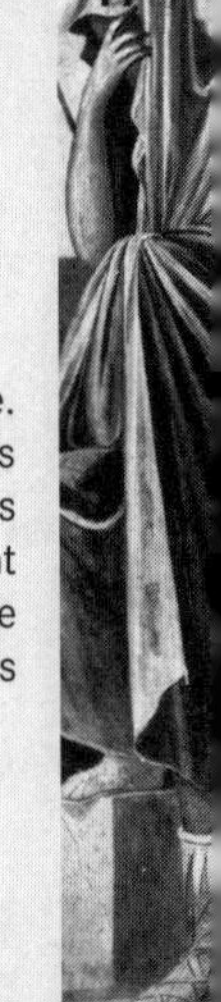

Repérer et analyser

Le langage théâtral

Le texte dramatique a été écrit pour être joué devant un public, dans un théâtre. Il est constitué des répliques (paroles échangées par les personnages) et des didascalies, qui fournissent des indications de mise en scène. Les indications scéniques sont rares dans le théâtre classique car les auteurs assuraient souvent eux-mêmes la direction des acteurs. Elles se limitent alors à la didascalie initiale (liste des personnages) et à la mention des personnages en scène. Les répliques peuvent être en vers ou en prose.

1 Combien y a-t-il de personnages présents sur scène ?

2 De quels autres personnages de la pièce parlent-ils ?

L'énonciation théâtrale, les scènes d'exposition

• Au théâtre, les propos échangés par les personnages sont destinés non seulement aux personnages présents sur la scène, mais aussi aux spectateurs. On dit qu'il y a double énonciation.

• Il convient que les spectateurs soient immédiatement informés sur un certain nombre d'éléments indispensables à la compréhension de la pièce et sur l'identité des personnages. C'est le rôle de la première scène, ou scène d'exposition, dans laquelle la parole des personnages a pour fonction « d'exposer » la situation de façon vraisemblable.

L'identité des personnages et le cadre temporel

3 **a.** Comment les spectateurs connaissent-ils le nom des personnages en présence ? Citez le texte.

b. Par quels pronoms personnels les personnages se désignent-ils mutuellement ? En quoi ces désignations permettent-elles au spectateur de distinguer le personnage principal du personnage secondaire ?

c. Relevez les noms propres qui montrent que l'action se déroule en Grèce, peu après la guerre de Troie. Lequel ?

Les informations fournies

4 Qu'apprend le spectateur :

– concernant les liens qui unissent Pylade et Oreste (v. 1) ? Depuis combien de temps les deux personnages ne se sont-ils vus ? À quelle occasion ont-ils été séparés ?

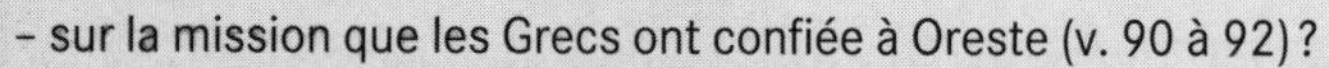

- sur la mission que les Grecs ont confiée à Oreste (v. 90 à 92) ?
- sur le passé amoureux d'Oreste ? Qui aime-t-il ? Son amour est-il partagé (v. 225 à 57 et 85 à 88) ?
- sur ses intentions secrètes (v. 93-94 et 99-100) ? Tient-il vraiment à mener à bien sa mission ?
- sur les rapports que Pyrrhus entretient avec sa captive Andromaque (v. 69-70, 77-78 et 108 à 114) ?
- sur les relations qu'entretiennent Pyrrhus et Hermione (v. 77 à 80, 115-116 et 125 à 130) ?

Les techniques de l'exposition

La pièce peut commencer *in medias res*, c'est-à-dire au cœur de l'action.

5 Montrez, en citant un terme précis, que le spectateur a l'impression de surprendre une conversation déjà entamée avant que le rideau ne se lève. Quel est l'effet produit ?

6 Quel type d'informations chaque personnage fournit-il à l'autre ? Quel est l'intérêt de cette répartition de l'exposition entre eux ? Cette façon de renseigner le public vous paraît-elle vraisemblable ?

Le registre tragique

En général, l'exposition donne d'emblée le ton ou le registre dominant de la pièce : comique (registre du rire), tragique (registre des pleurs et de l'émotion). La tragédie classique est toujours en vers alexandrins.

7 L'alexandrin classique

L'alexandrin classique est un vers de douze syllabes. Le « e » doit s'entendre lorsqu'il est suivi d'une consonne. Le « e » est muet lorsqu'il est suivi d'une voyelle (« je retrouv(e) un ami ») et à la fin de la dernière syllabe (fi/dèle, au vers 1, compte pour deux syllabes).

« Oui/, puis/que/je/re/trou/v(e) un/a/mi/si/fi/dèle »
1 2 3 4 5 6 7 8 9 10 11 12

Choisissez quelques vers et vérifiez qu'il s'agit d'alexandrins.

8 Relevez, vers 1 à 37, les champs lexicaux de la souffrance morale, de la mort, du destin hostile. Quelle tonalité confèrent-ils à la pièce ?

9 Relevez dans les vers 95 à 100 un vers qui définit Oreste comme un héros tragique, malheureux et subissant les assauts du destin.

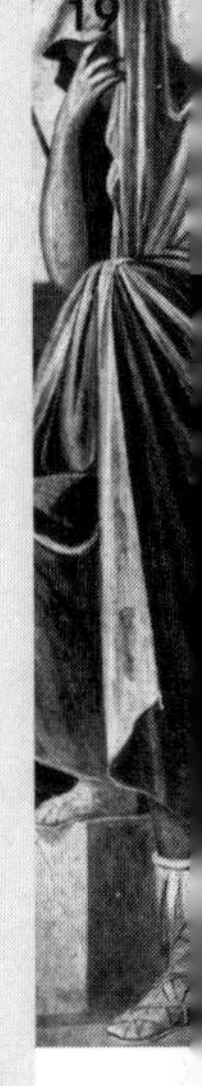

Les attentes du spectateur

10 **a.** En quoi l'arrivée d'Oreste à Buthrote va-t-elle lancer l'action ?
b. Quels conseils Pylade donne-t-il à Oreste à la fin de la scène ? Quelle situation cherche-t-il à créer ?

Étudier la langue

Le lexique des passions

11 **a.** Donnez le sens des mots suivants dans la tragédie classique : « fortune » (v. 2), « charme » (v. 31), « ennui » (v. 44), « flamme » (v. 40), « soins » (v. 62), « hymen » (v. 80 et 124), « trépas » (v. 76).
b. Montrez que le sens de « soins », « ennui », « charme » s'est affaibli.

Se documenter

La Grèce à l'époque de la guerre de Troie

Les découvertes archéologiques ont confirmé que la guerre de Troie avait bien eu lieu. Les historiens la situent aux environs de 1180 av. J.-C. Elle a opposé des Grecs d'origine européenne (appelés Achéens, Argiens ou Danaens par Homère) aux Troyens, population d'Asie. Ces peuples étaient organisés en une multitude de petits royaumes rivaux, sans doute comparables aux fiefs du Moyen Âge. De chaque roi dépendaient une ou plusieurs places fortes et la région alentour. Il existait entre eux des alliances familiales (filiation, mariage) ou économiques (notamment les liens d'hospitalité), qui leur permettaient de monter ensemble des expéditions guerrières. Celles-ci n'avaient pas pour but la conquête d'un territoire, mais le pillage des richesses et l'extermination des ennemis. Nous connaissons les principaux chefs de la confédération achéenne d'après « le catalogue des vaisseaux » au chant II de l'*Iliade* d'Homère : Agamemnon, père d'Oreste, surnommé « le roi des rois », est le plus puissant. Il règne sur Mycènes, Argos et l'Argolide. Son frère Ménélas, mari d'Hélène et père d'Hermione, est roi de Sparte. Achille, père de Pyrrhus, est maître de l'Épire. Ulysse, l'inventeur du cheval de Troie, est roi d'Ithaque.

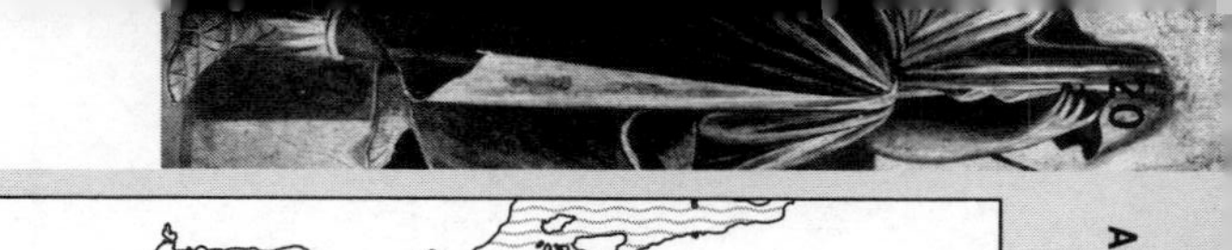

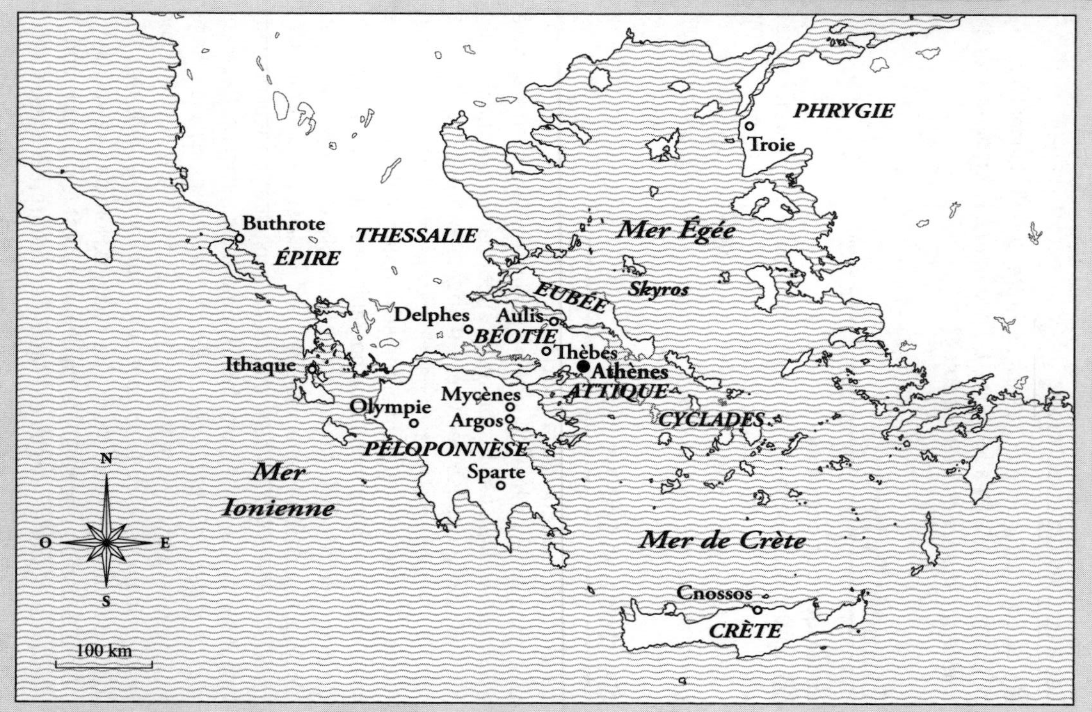

PHRYGIE
Troie
Buthrote
THESSALIE
Mer Égée
ÉPIRE
EUBÉE
Skyros
Delphes
Aulis
BÉOTIE
Thèbes
Ithaque
Athènes
ATTIQUE
Mycènes
Olympie
Argos
CYCLADES
PÉLOPONNÈSE
N
Mer Ionienne
Sparte
O
E
S
Mer de Crète
Cnossos
CRÈTE
100 km

Acte premier

Scène 2

Pyrrhus, Oreste, Phœnix.

ORESTE

Avant que tous les Grecs vous parlent par ma voix,
Souffrez que j'ose ici me flatter[1] de leur choix,
145 Et qu'à vos yeux, Seigneur, je montre quelque joie
De voir le fils d'Achille* et le vainqueur de Troie*.
Oui, comme ses exploits nous admirons vos coups[2] :
Hector* tomba sous lui, Troie expira sous vous ;
Et vous avez montré, par une heureuse[3] audace,
150 Que le fils seul d'Achille[4] a pu remplir sa place.
Mais ce qu'il n'eût point fait, la Grèce avec douleur
Vous voit du sang troyen relever le malheur,
Et vous laissant toucher d'une pitié funeste,
D'une guerre si longue entretenir le reste[5].
155 Ne vous souvient-il plus, Seigneur, quel fut Hector ?
Nos peuples affaiblis s'en souviennent encor.
Son nom seul fait frémir nos veuves et nos filles ;
Et dans toute la Grèce il n'est point de familles
Qui ne demandent compte à ce malheureux fils
160 D'un père ou d'un époux qu'Hector leur a ravis.
Et qui sait ce qu'un jour ce fils peut entreprendre ?
Peut-être dans nos ports nous le verrons descendre,
Tel qu'on a vu son père embraser nos vaisseaux[6],
Et, la flamme à la main, les suivre sur les eaux.
165 Oserai-je, Seigneur, dire ce que je pense ?
Vous-même de vos soins craignez la récompense,

1. Me féliciter, me réjouir.
2. Action audacieuse.
3. Suivie de succès.
4. Que seul le fils d'Achille.
5. Maintenir en vie le seul survivant.
6. Allusion à l'*Iliade*, Hector met le feu à un vaisseau grec.

Et que dans votre sein ce serpent élevé
Ne vous punisse un jour de l'avoir conservé[7].
Enfin de tous les Grecs satisfaites l'envie,
170 Assurez leur vengeance, assurez votre vie ;
Perdez un ennemi d'autant plus dangereux
Qu'il s'essaiera sur vous à combattre contre eux.

PYRRHUS

La Grèce en ma faveur est trop inquiétée.
De soins plus importants je l'ai crue agitée,
175 Seigneur ; et sur le nom de son ambassadeur,
J'avais dans ses projets conçu plus de grandeur.
Qui croirait en effet qu'une telle entreprise
Du fils d'Agamemnon* méritât l'entremise ;
Qu'un peuple tout entier, tant de fois triomphant,
180 N'eût daigné conspirer que la mort d'un enfant ?
Mais à qui prétend-on que je le sacrifie ?
La Grèce a-t-elle encor quelque droit sur sa vie ?
Et seul de tous les Grecs ne m'est-il pas permis
D'ordonner[8] d'un captif que le sort m'a soumis ?
185 Oui, Seigneur, lorsqu'au pied des murs fumants de Troie
Les vainqueurs tout sanglants partagèrent leur proie,
Le sort, dont les arrêts furent alors suivis,
Fit tomber en mes mains Andromaque* et son fils.
Hécube* près d'Ulysse* acheva sa misère ;
190 Cassandre* dans Argos* a suivi votre père :
Sur eux, sur leurs captifs ai-je étendu mes droits ?
Ai-je enfin disposé du fruit de leurs exploits ?
On craint qu'avec Hector Troie un jour ne renaisse ;
Son fils peut me ravir le jour que je lui laisse.
195 Seigneur, tant de prudence entraîne trop de soin :

| **7.** De lui avoir sauvé la vie. | **8.** De décider du sort de.

Je ne sais point prévoir les malheurs de si loin.
Je songe quelle était autrefois cette ville,
Si superbe[9] en remparts, en héros si fertile,
Maîtresse de l'Asie ; et je regarde enfin
200 Quel fut le sort de Troie, et quel est son destin.
Je ne vois que des tours que la cendre a couvertes,
Un fleuve teint de sang, des campagnes désertes,
Un enfant dans les fers[10] ; et je ne puis songer
Que Troie en cet état aspire à se venger.
205 Ah ! si du fils d'Hector la perte était jurée,
Pourquoi d'un an entier l'avons-nous différée ?
Dans le sein de Priam* n'a-t-on[11] pu l'immoler ?
Sous tant de morts, sous Troie il fallait l'accabler.
Tout était juste alors : la vieillesse et l'enfance
210 En vain sur leur faiblesse appuyaient leur défense ;
La victoire et la nuit, plus cruelles que nous,
Nous excitaient au meurtre, et confondaient nos coups.
Mon courroux aux vaincus ne fut que trop sévère.
Mais que ma cruauté survive à ma colère ?
215 Que malgré la pitié dont je me sens saisir,
Dans le sang d'un enfant je me baigne à loisir[12] ?
Non, Seigneur. Que les Grecs cherchent quelque autre proie ;
Qu'ils poursuivent ailleurs ce qui reste de Troie :
De mes inimitiés le cours est achevé[13] ;
220 L'Épire* sauvera ce que Troie a sauvé.

ORESTE

Seigneur, vous savez trop avec quel artifice[14]
Un faux Astyanax* fut offert au supplice

9. Qui s'élève au-dessus des autres, imposant et orgueilleux.
10. Prisonnier.
11. N'aurait-on pu.
12. Sans y être poussé par la guerre.
13. Je n'éprouve plus de haine pour mes ennemis d'autrefois.
14. Ruse.

Où le seul fils d'Hector devait être conduit.
Ce n'est pas les Troyens, c'est Hector qu'on poursuit.
225 Oui, les Grecs sur le fils persécutent le père ;
Il a par trop de sang acheté leur colère.
Ce n'est que dans le sien[15] qu'elle peut expirer ;
Et jusque dans l'Épire il les peut attirer.
Prévenez-les[16].

PYRRHUS

Non, non. J'y consens avec joie :
230 Qu'ils cherchent dans l'Épire une seconde Troie ;
Qu'ils confondent leur haine, et ne distinguent plus
Le sang qui les fit vaincre et celui des vaincus.
Aussi bien ce n'est pas la première injustice
Dont la Grèce d'Achille a payé le service[17].
235 Hector en profita, Seigneur ; et quelque jour
Son fils en pourrait bien profiter à son tour.

ORESTE

Ainsi la Grèce en vous trouve un enfant rebelle ?

PYRRHUS

Et je n'ai donc vaincu que pour dépendre d'elle ?

ORESTE

Hermione*, Seigneur, arrêtera vos coups :
240 Ses yeux s'opposeront entre son père et vous.

15. Le sang d'Hector, c'est-à-dire son fils : les Grecs veulent la mort de son fils pour se venger.
16. Devancez-les.
17. Épisode célèbre de l'*Iliade* : Achille, obligé de céder à Agamemnon la captive Briséis, se retira du combat. Hector profita de son absence du champ de bataille pour infliger de nombreuses défaites aux Grecs.

PYRRHUS

Hermione, Seigneur, peut m'être toujours chère ;
Je puis l'aimer, sans être esclave de son père ;
Et je saurai peut-être accorder quelque jour
Les soins de ma grandeur et ceux de mon amour.
245 Vous pouvez cependant voir la fille d'Hélène* :
Du sang qui vous unit je sais l'étroite chaîne[18].
Après cela, Seigneur, je ne vous retiens plus,
Et vous pourrez aux Grecs annoncer mon refus.

Pyrrhus, détail, gravure d'après P. Chéry, fin XVIIIe siècle. Collection privée.

18. Agamemnon et Ménélas, qui étaient frères, épousèrent des demi-sœurs, Clytemnestre et Hélène. Oreste est le fils de Clytemnestre, Hermione est la fille d'Hélène.

Questions

Repérer et analyser

Les enjeux

1 **a.** Rappelez la fonction d'Oreste au cours de cette ambassade. Par qui a-t-il été envoyé (v. 143) ?
b. Que doit-il obtenir de Pyrrhus ?
c . Souhaite-t-il obtenir ce qu'il demande ? Justifiez votre réponse en rappelant quelles sont ses motivations personnelles.

Les arguments

2 La périphrase

La périphrase est une figure de style qui consiste à remplacer un mot par une expression de sens équivalent. L'énonciateur choisit la périphrase en fonction d'une caractéristique qu'il souhaite mettre en valeur. La périphrase peut être méliorative, péjorative, poétique…

Relevez les deux périphrases par lesquelles Oreste désigne Pyrrhus. Sont-elles mélioratives ? Quelle est son intention lorsqu'il le désigne ainsi ?

3 Reformulez les arguments utilisés par Oreste pour présenter sa requête et ceux que donne Pyrrhus en guise de réponse :
- les arguments concernant Astyanax : appuyez-vous notamment sur les expressions par lesquelles chacun d'eux désigne l'enfant (v. 161, 167 et 171 ; v. 180, 184, 188 et 194) ;
- les arguments concernant les Grecs et les arguments concernant Hermione.

	Arguments d'Oreste	Arguments de Pyrrhus
Concernant Astyanax	v. 158 à 172 :…	1. v. 179 et 180 :… 2. v. 182 à 188 :… 3. v. 201 à 204 :… 4. v. 205 à 212 :…
Concernant les Grecs	v. 224 à 229 :…	v. 229 à 232 :…
Concernant Hermione	v. 239-240 :…	v. 241-242 :…

4 Pourquoi Oreste parle-t-il d'Hermione à la fin de l'entretien ? Pyrrhus lui donne-t-il la réponse qu'il espère ?

Le personnage de Pyrrhus

5 **a.** Quelle image passée et présente Pyrrhus donne-t-il de la ville de Troie ? En vous appuyant sur le vocabulaire qu'il emploie, dites quels sentiments lui inspire le souvenir de ces scènes.
b. En quoi fait-il preuve d'une certaine noblesse d'âme dans les vers 205 à 220 ?

6 À quel moment prononce-t-il le nom d'Andromaque ? Citez deux passages où l'amour de Pyrrhus pour Andromaque explique son comportement.

La progression de l'action et les attentes du spectateur

7 Qu'a décidé Pyrrhus au vers 220 ? Les menaces d'Oreste le font-elles changer d'avis ?

8 En quoi, sur le plan politique, les hostilités sont-elles ouvertes ?

9 Quelle permission Pyrrhus accorde-t-il à Oreste à la fin de l'entretien ? À quelle suite le spectateur peut-il s'attendre ?

Étudier la langue

La versification et l'ordre des mots dans la phrase

Les contraintes de la versification obligent l'auteur à modifier parfois l'ordre normal des mots dans la phrase. Il s'agit le plus souvent de compléments antéposés, qui sont placés avant le nom ou le verbe qu'ils complètent.

10 Dans les passages suivants, déplacez les mots ou groupe de mots qui conviennent pour rétablir l'ordre normal : v. 166 à 168, v. 177-178, v. 205-206, v. 209-210, v. 225-226, v. 246.

Acte premier

Scène 3

Pyrrhus, Phœnix.

PHŒNIX

Ainsi vous l'envoyez aux pieds de sa maîtresse[1] !

PYRRHUS

250 On dit qu'il a longtemps brûlé[2] pour la princesse[3].

PHŒNIX

Mais si ce feu, Seigneur, vient à se rallumer ?
S'il lui rendait son cœur, s'il s'en faisait aimer ?

PYRRHUS

Ah ! qu'ils s'aiment, Phœnix : j'y consens. Qu'elle parte.
Que, charmés[4] l'un de l'autre, ils retournent à Sparte* :
255 Tous nos ports sont ouverts et pour elle et pour lui.
Qu'elle m'épargnerait de contrainte et d'ennui[5] !

PHŒNIX

Seigneur…

PYRRHUS

Une autre fois je t'ouvrirai mon âme :
Andromaque paraît.

1. Celle qui domine le cœur de l'amant sans que l'amour soit nécessairement partagé.
2. Éprouvé un amour ardent.
3. Hermione.
4. Fascinés l'un par l'autre, attirés irrésistiblement.
5. Désespoir.

Acte premier

Scène 4

Pyrrhus, Andromaque, Céphise.

PYRRHUS

Me cherchiez-vous, Madame ?
Un espoir si charmant me serait-il permis ?

ANDROMAQUE

260 Je passais jusqu'aux lieux où l'on garde mon fils.
Puisqu'une fois le jour vous souffrez[6] que je voie
Le seul bien qui me reste et d'Hector* et de Troie*,
J'allais, Seigneur, pleurer un moment avec lui :
Je ne l'ai point encore embrassé d'aujourd'hui.

PYRRHUS

265 Ah ! Madame, les Grecs, si j'en crois leurs alarmes,
Vous donneront bientôt d'autres sujets de larmes.

ANDROMAQUE

Et quelle est cette peur dont leur cœur est frappé,
Seigneur ? Quelque Troyen vous est-il échappé ?

PYRRHUS

Leur haine pour Hector n'est pas encore éteinte.
270 Ils redoutent son fils.

ANDROMAQUE

Digne objet de leur crainte !
Un enfant malheureux, qui ne sait pas encor
Que Pyrrhus est son maître, et qu'il est fils d'Hector.

6. Permettez.

PYRRHUS

Tel qu'il est, tous les Grecs demandent qu'il périsse.
Le fils d'Agamemnon* vient hâter son supplice.

ANDROMAQUE

275 Et vous prononcerez un arrêt si cruel ?
Est-ce mon intérêt[7] qui le rend criminel ?
Hélas ! on ne craint point qu'il venge un jour son père ;
On craint qu'il n'essuyât les larmes de sa mère.
Il m'aurait tenu lieu d'un père et d'un époux[8] ;
280 Mais il me faut tout perdre, et toujours par vos coups.

PYRRHUS

Madame, mes refus ont prévenu[9] vos larmes.
Tous les Grecs m'ont déjà menacé de leurs armes ;
Mais dussent-ils encore, en repassant les eaux[10],
Demander votre fils avec mille vaisseaux,
285 Coûtât-il tout le sang qu'Hélène* a fait répandre,
Dussé-je après dix ans voir mon palais en cendre,
Je ne balance[11] point, je vole à son secours :
Je défendrai sa vie aux dépens de mes jours.
Mais parmi ces périls où je cours pour vous plaire,
290 Me refuserez-vous un regard moins sévère ?
Haï de tous les Grecs, pressé de tous côtés,
Me faudra-t-il combattre encor vos cruautés ?
Je vous offre mon bras. Puis-je espérer encore
Que vous accepterez un cœur qui vous adore ?
295 En combattant pour vous, me sera-t-il permis
De ne vous point compter parmi mes ennemis ?

7. L'intérêt que je lui porte, ou l'intérêt dont je suis l'objet.
8. Tous deux tués par Achille.
9. Devancé.
10. Parallèle entre Troie et l'Épire qui, bien que faisant partie de la Grèce continentale, était plus accessible par mer.
11. Hésite.

ANDROMAQUE

Seigneur, que faites-vous, et que dira la Grèce ?
Faut-il qu'un si grand cœur[12] montre tant de faiblesse ?
Voulez-vous qu'un dessein si beau, si généreux,
300 Passe pour le transport[13] d'un esprit amoureux ?
Captive, toujours triste, importune à moi-même,
Pouvez-vous souhaiter qu'Andromaque vous aime ?
Quels charmes ont pour vous des yeux infortunés
Qu'à des pleurs éternels vous avez condamnés ?
305 Non, non, d'un ennemi respecter la misère,
Sauver des malheureux, rendre un fils à sa mère,
De cent peuples pour lui combattre la rigueur,
Sans me faire payer son salut de mon cœur,
Malgré moi, s'il le faut, lui donner un asile :
310 Seigneur, voilà des soins dignes du fils d'Achille*.

PYRRHUS

Hé quoi ? votre courroux n'a-t-il pas eu son cours[14] ?
Peut-on haïr sans cesse ? et punit-on toujours ?
J'ai fait des malheureux, sans doute ; et la Phrygie*
Cent fois de votre sang a vu ma main rougie.
315 Mais que vos yeux sur moi se sont bien exercés !
Qu'ils m'ont vendu bien cher les pleurs qu'ils ont versés !
De combien de remords m'ont-ils rendu la proie !
Je souffre tous les maux que j'ai faits devant Troie.
Vaincu, chargé de fers, de regrets consumé,
320 Brûlé de plus de feux que je n'en allumai,
Tant de soins, tant de pleurs, tant d'ardeurs inquiètes…
Hélas ! fus-je jamais si cruel que vous l'êtes ?
Mais enfin, tour à tour, c'est assez nous punir :
Nos ennemis communs devraient nous réunir.

12. Courage.
13. Impulsion.
14. N'avez-vous pas assez donné libre cours à votre colère ?

325 Madame, dites-moi seulement que j'espère,
Je vous rends votre fils, et je lui sers de père ;
Je l'instruirai moi-même à venger les Troyens ;
J'irai punir les Grecs de vos maux et des miens.
Animé d'un regard[15], je puis tout entreprendre :
330 Votre Ilion* encor peut sortir de sa cendre ;
Je puis, en moins de temps que les Grecs ne l'ont pris,
Dans ses murs relevés couronner votre fils.

ANDROMAQUE

Seigneur, tant de grandeurs ne nous touchent plus guère :
Je les lui promettais tant qu'a vécu son père.
335 Non, vous n'espérez plus de nous revoir encor,
Sacrés murs, que n'a pu conserver mon Hector.
À de moindres faveurs des malheureux prétendent,
Seigneur : c'est un exil que mes pleurs vous demandent.
Souffrez que loin des Grecs, et même loin de vous,
340 J'aille cacher mon fils, et pleurer mon époux.
Votre amour contre nous allume trop de haine ;
Retournez, retournez à la fille d'Hélène.

PYRRHUS

Et le puis-je, Madame ? Ah ! que vous me gênez[16] !
Comment lui rendre un cœur que vous me retenez ?
345 Je sais que de mes vœux on lui promit l'empire[17] ;
Je sais que pour régner elle vint dans l'Épire* ;
Le sort vous y voulut l'une et l'autre amener :
Vous, pour porter des fers ; elle, pour en donner.
Cependant ai-je pris quelque soin de lui plaire ?
350 Et ne dirait-on pas, en voyant au contraire

15. Pyrrhus insiste souvent sur le pouvoir du regard d'Andromaque.
16. Torturez.
17. On lui promit qu'elle règnerait en maîtresse absolue sur mon cœur. Pyrrhus refuse d'assumer cette promesse.

Vos charmes tout-puissants, et les siens dédaignés,
Qu'elle est ici captive, et que vous y régnez ?
Ah ! qu'un seul des soupirs que mon cœur vous envoie,
S'il s'échappait vers elle, y porterait de joie !

ANDROMAQUE

355 Et pourquoi vos soupirs seraient-ils repoussés ?
Aurait-elle oublié vos services[18] passés ?
Troie, Hector, contre vous révoltent-ils son âme ?
Aux cendres d'un époux doit-elle enfin sa flamme ?
Et quel époux encore ! Ah ! souvenir cruel !
360 Sa mort seule a rendu votre père immortel.
Il doit au sang d'Hector tout l'éclat de ses armes,
Et vous n'êtes tous deux connus que par mes larmes.

PYRRHUS

Hé bien, Madame, hé bien, il faut vous obéir :
Il faut vous oublier, ou plutôt vous haïr.
365 Oui, mes vœux[19] ont trop loin poussé leur violence
Pour ne plus s'arrêter que dans l'indifférence.
Songez-y bien : il faut désormais que mon cœur,
S'il n'aime avec transport, haïsse avec fureur.
Je n'épargnerai rien dans ma juste colère :
370 Le fils me répondra[20] des mépris de la mère ;
La Grèce le demande, et je ne prétends pas
Mettre toujours ma gloire à sauver des ingrats.

ANDROMAQUE

Hélas ! il mourra donc. Il n'a pour sa défense
Que les pleurs de sa mère et que son innocence.

18. Hommages que rend un galant homme à sa maîtresse.

19. Mon désir passionné.

20. Paiera pour.

375 Et peut-être après tout, en l'état où je suis,
Sa mort avancera la fin de mes ennuis.
Je prolongeais pour lui ma vie et ma misère ;
Mais enfin sur ses pas j'irai revoir son père.
Ainsi tous trois, Seigneur, par vos soins réunis,
380 Nous vous…

PYRRHUS

Allez, Madame, allez voir votre fils.
Peut-être, en le voyant, votre amour plus timide[21]
Ne prendra pas toujours sa colère pour guide.
Pour savoir nos destins, j'irai vous retrouver.
Madame, en l'embrassant, songez à le sauver.

Gravure de Valentin Foulquier (1876) pour *Andromaque*, acte I, scène 4.

21. Qui craint autrui.

Repérer et analyser

Le rôle du confident

Au théâtre, le confident est un personnage secondaire qui accompagne le protagoniste qui l'écoute, le conseille. En général, il n'intervient pas dans les dialogues entre personnages principaux, bien qu'il puisse être présent sur scène. En vertu de la double énonciation théâtrale, la présence du confident permet au héros de se confier indirectement au spectateur et de lui faire connaître son état intérieur.

1 Quelle confirmation le spectateur a-t-il quant aux sentiments de Pyrrhus pour Hermione ?

2 Pour quelle raison Pyrrhus coupe-t-il la parole à Phœnix ? En quoi traduit-il ses sentiments par cette interruption ?

3 Que se passe-t-il à la fin de la scène 3 ? Quels personnages sont présents à la scène 4 ?

Les relations entre Pyrrhus et Andromaque

La position de Pyrrhus

4 La métaphore amoureuse

La métaphore est une figure de style qui emploie un mot à la place d'un autre en vertu d'un rapport de sens. Le feu ou la flamme sont des métaphores amoureuses qui sous-entendent que l'amour est comme le feu ou la flamme. La métaphore de la flamme et du feu a été banalisée par le courant précieux (langage imagé utilisé au XVIIe siècle). On l'utilise encore aujourd'hui mais les deux termes ont perdu leur valeur expressive et sont devenus des clichés ou lieux communs.

Relevez la métaphore amoureuse dans la scène 3 ; quels personnages concerne-t-elle ? A-t-elle exactement le même sens appliquée à Pyrrhus au vers 320 ?

5 À quel vers Pyrrhus fait-il part à Andromaque des exigences grecques ? Cherche-t-il à la ménager ? Citez le vers dans lequel il la rassure.

6 Quelle position Pyrrhus a-t-il adoptée face à la requête des Grecs ? À quoi est-il prêt pour sauver l'enfant ?

7 Que demande-t-il à Andromaque en échange de sa protection ?

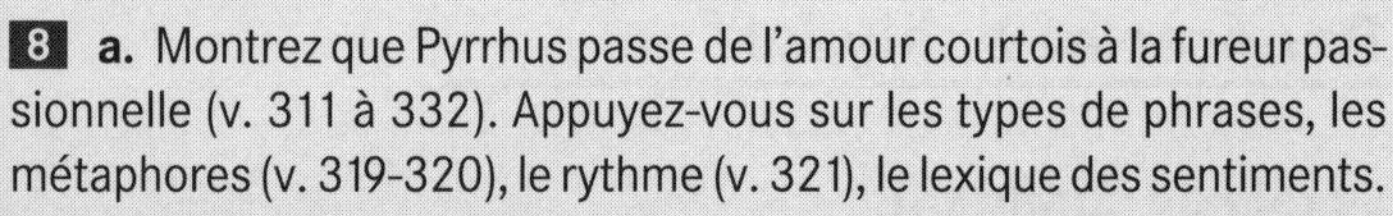

8 **a.** Montrez que Pyrrhus passe de l'amour courtois à la fureur passionnelle (v. 311 à 332). Appuyez-vous sur les types de phrases, les métaphores (v. 319-320), le rythme (v. 321), le lexique des sentiments.
b. En quoi son amour est-il lié à la guerre ? Appuyez-vous sur l'utilisation du mot « feux » au vers 320 : montrez qu'il est utilisé au sens propre comme au sens figuré.
9 Quelle est sa réaction quand Andromaque lui demande de retourner à Hermione ? Montrez en citant des vers précis (v. 363 à 368) que l'amour de Pyrrhus pour Andromaque est proche de la haine.

La position d'Andromaque

10 **a.** Montrez, en citant des vers précis, qu'Andromaque cherche à faire dériver vers l'héroïsme l'enthousiasme et la passion de Pyrrhus.
b. En quoi peut-on dire qu'elle lui propose un idéal de chevalerie ?
11 Relisez les vers 301 à 304.
a. Relevez le champ lexical de la tristesse et des larmes. Andromaque les évoque-t-elle uniquement pour exprimer sa douleur ? Justifiez votre réponse.
b. Analysez le rythme de ces vers. Quel est l'effet produit ?

La passion racinienne

Dans la tragédie racinienne, les passions sont malheureuses : l'amour y apparaît souvent comme impossible et frappé d'interdit.

12 Jusqu'où Andromaque peut-elle accepter les déclarations de Pyrrhus ? Pour quelle raison ne peut-elle pas l'aimer ? Justifiez votre réponse.
13 Quelle est finalement la réponse d'Andromaque aux propositions de Pyrrhus ?

Les hypothèses et attentes du spectateur

14 Comment comprenez-vous la dernière réplique d'Andromaque : résignation, désespoir ou chantage au suicide ? Justifiez votre réponse.
15 Quel est le vers qui clôt la scène et l'acte ? En quoi la situation est-elle grave à la fin de la scène ? Quel message Pyrrhus cherche-t-il à faire passer à Andromaque ?

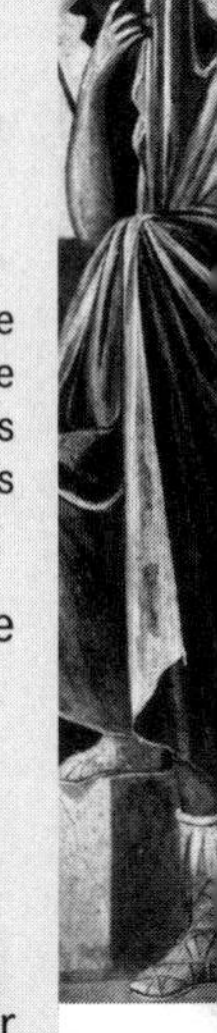

Étudier la langue

Lire l'alexandrin

L'alexandrin classique est un vers au rythme régulier : il comporte une coupe (ou césure) en son milieu, qui le divise en deux hémistiches. L'alexandrin comporte d'autres coupes dites secondaires, qui s'appuient sur les syllabes accentuées (syllabes que l'on prononce avec plus de force que d'autres). La variété des coupes secondaires crée la musicalité du vers.

16 Identifiez les coupes des vers 253 et 255. En quoi le rythme donne-t-il plus de force aux paroles de Pyrrhus ?

Se documenter

L'amour courtois ou fin'amor

Ce sont les troubadours qui ont répandu cette conception de l'amour au Moyen Âge. Elle s'est perpétuée dans la tradition poétique et la littérature romanesque : au XVIIe siècle, elle a été remise au goût du jour par le roman précieux et la tragédie galante.

L'amour courtois place la dame en position de supériorité par rapport à celui qui l'aime : il lui est soumis comme un vassal à son suzerain. Elle doit être inaccessible : pour elle, il accomplit des exploits qui le distinguent des autres. L'amour devient réciproque, même s'il reste chaste, au bout d'une série d'épreuves imposées à l'amant par la dame. Il doit ainsi obtenir, successivement : l'espoir d'être aimé, un regard, un gage d'amour (anneau ou autre objet appartenant à la dame), un baiser, l'étreinte.

Acte II

Scène première

Hermione, Cléone.

HERMIONE

385 Je fais ce que tu veux. Je consens qu'il me voie :
Je lui veux bien encore accorder cette joie.
Pylade va bientôt conduire ici ses pas ;
Mais si je m'en croyais, je ne le verrais pas.

CLÉONE

Et qu'est-ce que sa vue a pour vous de funeste ?
390 Madame, n'est-ce pas toujours le même Oreste
Dont vous avez cent fois souhaité le retour,
Et dont vous regrettiez la constance et l'amour ?

HERMIONE

C'est cet amour payé de trop d'ingratitude
Qui me rend en ces lieux sa présence si rude[1].
395 Quelle honte pour moi, quel triomphe pour lui
De voir mon infortune égaler son ennui[2] !
Est-ce là, dira-t-il, cette fière Hermione ?
Elle me dédaignait ; un autre l'abandonne.
L'ingrate, qui mettait son cœur à si haut prix,
400 Apprend donc à son tour à souffrir des mépris ?
Ah ! Dieux !

CLÉONE

Ah ! dissipez ces indignes alarmes :
Il a trop bien senti le pouvoir de vos charmes.

1. Pénible, insupportable (sens fort).
2. Tourment.

Vous croyez qu'un amant vienne vous insulter ?
Il vous rapporte un cœur qu'il n'a pu vous ôter.
405 Mais vous ne dites point ce que vous mande[3] un père.

Hermione

Dans ses retardements[4] si Pyrrhus persévère,
À la mort du Troyen s'il ne veut consentir,
Mon père avec les Grecs m'ordonne de partir.

Cléone

Hé bien, Madame, hé bien ! écoutez donc Oreste.
410 Pyrrhus a commencé, faites au moins le reste.
Pour bien faire, il faudrait que vous le prévinssiez[5].
Ne m'avez-vous pas dit que vous le haïssiez ?

Hermione

Si je le hais, Cléone ! Il y va de ma gloire[6],
Après tant de bontés dont il perd la mémoire.
415 Lui qui me fut si cher, et qui m'a pu trahir,
Ah ! je l'ai trop aimé pour ne le point haïr.

Cléone

Fuyez-le donc, Madame ; et puisqu'on vous adore…

Hermione

Ah ! laisse à ma fureur le temps de croître encore ;
Contre mon ennemi laisse-moi m'assurer[7] :
420 Cléone, avec horreur je m'en veux séparer.
Il n'y travaillera que trop bien, l'infidèle !

3. Ordonne.
4. Délais volontaires dans la célébration du mariage entre Pyrrhus et Hermione.
5. Que vous partiez avant que Pyrrhus ne vous renvoie.
6. Réputation.
7. Prendre de l'assurance, être plus ferme dans mes résolutions.

CLÉONE

Quoi ? vous en attendez quelque injure[8] nouvelle ?
Aimer une captive, et l'aimer à vos yeux,
Tout cela n'a donc pu vous le rendre odieux ?
425 Après ce qu'il a fait, que saurait-il donc faire ?
Il vous aurait déplu, s'il pouvait vous déplaire.

HERMIONE

Pourquoi veux-tu, cruelle, irriter mes ennuis ?
Je crains de me connaître en l'état où je suis.
De tout ce que tu vois tâche de ne rien croire ;
430 Crois que je n'aime plus, vante-moi ma victoire ;
Crois que dans son dépit[9] mon cœur est endurci ;
Hélas ! et, s'il se peut, fais-le moi croire aussi.
Tu veux que je le fuie. Hé bien ! rien ne m'arrête :
Allons. N'envions plus son indigne conquête[10] ;
435 Que sur lui sa captive étende son pouvoir.
Fuyons… Mais si l'ingrat rentrait dans son devoir !
Si la foi[11] dans son cœur retrouvait quelque place !
S'il venait à mes pieds me demander sa grâce !
Si sous mes lois, Amour, tu pouvais l'engager !
440 S'il voulait ! … Mais l'ingrat ne veut que m'outrager.
Demeurons toutefois pour troubler leur fortune ;
Prenons quelque plaisir à leur être importune ;
Ou le forçant de rompre un nœud si solennel[12],
Aux yeux de tous les Grecs rendons-le criminel.
445 J'ai déjà sur le fils attiré leur colère ;
Je veux qu'on vienne encor lui demander la mère.

8. Affront.
9. Chagrin mêlé de colère, à la suite d'une déception personnelle. Il s'agit du dépit d'Hermione (« son » renvoie à « mon cœur »).
10. Le fait que Pyrrhus soit conquis et non la personne conquise par Pyrrhus.
11. Fidélité à la parole donnée.
12. La promesse de mariage avec Hermione.

Rendons-lui les tourments qu'elle me fait souffrir :
Qu'elle le perde, ou bien qu'il la fasse périr.

CLÉONE

Vous pensez que des yeux toujours ouverts aux larmes
450 Se plaisent à troubler le pouvoir de vos charmes,
Et qu'un cœur accablé de tant de déplaisirs[13]
De son persécuteur ait brigué[14] les soupirs ?
Voyez si sa douleur en paraît soulagée.
Pourquoi donc les chagrins où son âme est plongée ?
455 Contre un amant qui plaît pourquoi tant de fierté ?

HERMIONE

Hélas ! pour mon malheur, je l'[15] ai trop écouté.
Je n'ai point du silence affecté le mystère :
Je croyais sans péril pouvoir être sincère ;
Et sans armer mes yeux d'un moment de rigueur,
460 Je n'ai pour lui parler consulté que mon cœur.
Et qui ne se serait comme moi déclarée
Sur la foi d'une amour[16] si saintement jurée ?
Me voyait-il de l'œil qu'il me voit aujourd'hui ?
Tu t'en souviens encor, tout conspirait pour lui :
465 Ma famille vengée, et les Grecs dans la joie,
Nos vaisseaux tout chargés des dépouilles de Troie,
Les exploits de son père effacés par les siens,
Ses feux que je croyais plus ardents que les miens,
Mon cœur, toi-même enfin de sa gloire éblouie,
470 Avant qu'il me trahît, vous m'avez tous trahie.
Mais c'en est trop, Cléone, et quel que soit Pyrrhus,

13. Chagrin violent, désespoir.
14. Souhaité obtenir par l'intrigue.
15. Pyrrhus.
16. Au singulier, « amour » pouvait être masculin ou féminin, sauf l'amour de Dieu, toujours masculin.

Hermione est sensible[17], Oreste a des vertus.
Il sait aimer du moins, et même sans qu'on l'aime ;
Et peut-être il saura se faire aimer lui-même.
475 Allons : qu'il vienne enfin.

CLÉONE

Madame, le voici.

HERMIONE

Ah ! je ne croyais pas qu'il fût si près d'ici.

Hermione (détail), gravure d'après Girodet (1801), pour *Andromaque*.

17. Capable d'aimer.

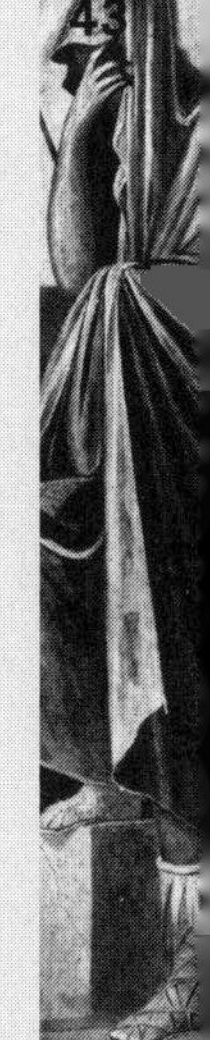

Repérer et analyser

Le rôle du confident

1 **a.** Quel conseil Cléone donne-t-elle à Hermione concernant Oreste (v. 385 à 392 et v. 403 à 405) ? Montrez, en citant le texte, qu'elle la rassure concernant les intentions d'Oreste.
b. Quel jugement Cléone porte-t-elle sur Pyrrhus (v. 422 à 426) ? Et sur Andromaque (v. 449 à 455) ?
c. Les conseils de Cléone vous paraissent-ils sages ?

Le personnage d'Hermione

2 **a.** Pour quelle raison Hermione se sent-elle humiliée à l'idée de revoir Oreste (v. 393 à 400) ?
b. Quelles paroles lui prête-t-elle ? En quoi fait-elle preuve d'orgueil ?
3 **a.** Montrez, en citant le texte, qu'elle veut se convaincre qu'elle n'aime plus Pyrrhus.
b. Quel espoir forme-t-elle concernant Pyrrhus ? Comment se vengera-t-elle s'il ne lui revient pas ?
4 Que révèle la dernière réplique d'Hermione quant aux sentiments qu'elle éprouve pour Oreste ?

La passion racinienne

L'antithèse

L'antithèse est une figure de style qui consiste à opposer deux idées ou réalités contraires de façon à créer un effet saisissant.

5 Montrez, en citant un vers précis fondé sur une antithèse, que la passion est proche de la haine.

La tension dramatique et les attentes du spectateur

6 En quoi, d'un point de vue politique, le sort d'Astyanax est-il lié à celui d'Hermione (v. 406 à 408) ?
7 Quelle image le spectateur a-t-il d'Hermione ? Apparaît-elle comme inquiétante ? Justifiez votre réponse.

Acte II

Scène 2

Hermione, Oreste, Cléone.

HERMIONE

Le croirai-je, Seigneur, qu'un reste de tendresse
Vous fasse ici chercher une triste princesse ?
Ou ne dois-je imputer[1] qu'à votre seul devoir
480 L'heureux empressement qui vous porte à me voir ?

ORESTE

Tel est de mon amour l'aveuglement funeste.
Vous le savez, Madame ; et le destin d'Oreste
Est de venir sans cesse adorer vos attraits,
Et de jurer toujours qu'il n'y viendra jamais.
485 Je sais que vos regards vont rouvrir mes blessures,
Que tous mes pas vers vous sont autant de parjures :
Je le sais, j'en rougis. Mais j'atteste les Dieux,
Témoins de la fureur de mes derniers adieux,
Que j'ai couru partout où ma perte certaine
490 Dégageait mes serments[2] et finissait ma peine.
J'ai mendié la mort chez des peuples cruels[3]
Qui n'apaisaient leurs dieux que du sang des mortels :
Ils m'ont fermé leur temple ; et ces peuples barbares
De mon sang prodigué[4] sont devenus avares.
495 Enfin je viens à vous, et je me vois réduit
À chercher dans vos yeux une mort qui me fuit.
Mon désespoir n'attend que leur indifférence :

1. Attribuer.
2. La certitude que j'avais de mourir me dégageait de mes serments (ne plus revoir Hermione : voir v. 484 et 486).
3. Les Scythes de Tauride : allusion à un épisode de la légende d'Oreste et Iphigénie.
4. Ont épargné mon sang, que je voulais prodiguer. Même construction qu'au vers 489.

Ils n'ont qu'à m'interdire un reste d'espérance,
Ils n'ont, pour avancer cette mort où je cours,
500 Qu'à me dire une fois ce qu'ils m'ont dit toujours.
Voilà, depuis un an, le seul soin qui m'anime.
Madame, c'est à vous de prendre une victime
Que les Scythes* auraient dérobée à vos coups,
Si j'en avais trouvé d'aussi cruels que vous.

HERMIONE

505 Quittez, Seigneur, quittez ce funeste langage.
À des soins plus pressants la Grèce vous engage.
Que parlez-vous du Scythe et de mes cruautés ?
Songez à tous ces rois que vous représentez.
Faut-il que d'un transport[5] leur vengeance dépende ?
510 Est-ce le sang d'Oreste enfin qu'on vous demande ?
Dégagez-vous des soins dont vous êtes chargé[6].

ORESTE

Les refus de Pyrrhus m'ont assez dégagé,
Madame : il me renvoie ; et quelque autre puissance
Lui fait du fils d'Hector* embrasser la défense.

HERMIONE

515 L'infidèle !

ORESTE

Ainsi donc, tout prêt à le quitter,
Sur mon propre destin je viens vous consulter.
Déjà même je crois entendre la réponse
Qu'en secret contre moi votre haine prononce.

5. État d'exaltation ou d'abattement. Impulsion passionnelle.
6. Accomplissez votre mission d'ambassadeur.

HERMIONE

Hé quoi ? toujours injuste en vos tristes discours,
520 De mon inimitié vous plaindrez-vous toujours ?
Quelle est cette rigueur[7] tant de fois alléguée[8] ?
J'ai passé dans l'Épire*, où j'étais reléguée :
Mon père l'ordonnait. Mais qui sait si depuis
Je n'ai point en secret partagé vos ennuis ?
525 Pensez-vous avoir seul éprouvé des alarmes ?
Que l'Épire jamais n'ait vu couler mes larmes ?
Enfin qui vous a dit que malgré mon devoir
Je n'ai pas quelquefois souhaité de vous voir ?

ORESTE

Souhaité de me voir ! Ah ! divine Princesse...
530 Mais, de grâce, est-ce à moi que ce discours s'adresse ?
Ouvrez vos yeux : songez qu'Oreste est devant vous,
Oreste, si longtemps l'objet de leur courroux.

HERMIONE

Oui, c'est vous dont l'amour, naissant avec leurs charmes,
Leur apprit le premier le pouvoir de leurs armes ;
535 Vous que mille vertus me forçaient d'estimer ;
Vous que j'ai plaint, enfin que je voudrais aimer.

ORESTE

Je vous entends[9]. Tel est mon partage funeste :
Le cœur est pour Pyrrhus, et les vœux[10] pour Oreste.

HERMIONE

Ah ! ne souhaitez pas le destin de Pyrrhus :
540 Je vous haïrais trop.

7. Indifférence face à l'amour déclaré.
8. Invoquée pour se justifier.
9. Je vous comprends.
10. Déclarations.

ORESTE

Vous m'en aimeriez plus.
Ah ! que vous me verriez d'un regard bien contraire !
Vous me voulez aimer, et je ne puis vous plaire ;
Et l'amour seul alors se faisant obéir,
Vous m'aimeriez, Madame, en me voulant haïr.
545 Ô Dieux ! tant de respects, une amitié si tendre…
Que de raisons pour moi, si vous pouviez m'entendre !
Vous seule pour Pyrrhus disputez[11] aujourd'hui,
Peut-être malgré vous, sans doute malgré lui,
Car enfin il vous hait ; son âme ailleurs éprise
550 N'a plus…

HERMIONE

Qui vous l'a dit, Seigneur, qu'il me méprise ?
Ses regards, ses discours vous l'ont-ils donc appris ?
Jugez-vous que ma vue inspire des mépris,
Qu'elle allume en un cœur des feux si peu durables ?
Peut-être d'autres yeux me sont plus favorables.

ORESTE

555 Poursuivez : il est beau de m'insulter ainsi.
Cruelle, c'est donc moi qui vous méprise ici ?
Vos yeux n'ont pas assez éprouvé ma constance ?
Je suis donc un témoin[12] de leur peu de puissance ?
Je les ai méprisés ? Ah ! qu'ils voudraient bien voir
560 Mon rival, comme moi, mépriser leur pouvoir !

HERMIONE

Que m'importe, Seigneur, sa haine ou sa tendresse ?
Allez contre un rebelle armer toute la Grèce ;

11. Plaidez en faveur de Pyrrhus (latin : *disputare*, ne comporte pas l'idée de querelle).
12. Preuve.

Rapportez-lui le prix de sa rebellion ;
Qu'on fasse de l'Épire un second Ilion*.
565 Allez. Après cela direz-vous que je l'aime ?

ORESTE

Madame, faites plus, et venez-y vous-même.
Voulez-vous demeurer pour otage en ces lieux ?
Venez dans tous les cœurs faire parler vos yeux[13].
Faisons de notre haine une commune attaque.

HERMIONE

570 Mais, Seigneur, cependant[14] s'il épouse Andromaque ?

ORESTE

Hé ! Madame !

HERMIONE

Songez quelle honte pour nous
Si d'une Phrygienne il devenait l'époux !

ORESTE

Et vous le haïssez ? Avouez-le, Madame,
L'amour n'est pas un feu qu'on renferme en une âme :
575 Tout nous trahit, la voix, le silence, les yeux ;
Et les feux mal couverts n'en éclatent[15] que mieux.

HERMIONE

Seigneur, je le vois bien, votre âme prévenue[16]
Répand sur mes discours le venin qui la tue,

13. Venez toucher (cœur) les Grecs, les convaincre par vos regards ou vos pleurs (yeux).
14. Pendant ce temps (pendant qu'ils seraient en Grèce).
15. Se manifestent avec éclat.
16. Influencée par des préjugés.

Toujours dans mes raisons cherche quelque détour,
580 Et croit qu'en moi la haine est un effort d'amour.
Il faut donc m'expliquer : vous agirez ensuite.
Vous savez qu'en ces lieux mon devoir m'a conduite ;
Mon devoir m'y retient, et je n'en puis partir
Que[17] mon père ou Pyrrhus ne m'en fasse sortir.
585 De la part de mon père allez lui faire entendre
Que l'ennemi des Grecs ne peut être son gendre :
Du Troyen ou de moi faites-le décider ;
Qu'il songe qui des deux il veut rendre ou garder ;
Enfin qu'il me renvoie, ou bien qu'il vous le livre.
590 Adieu. S'il y consent, je suis prête à vous suivre[18].

Oreste et Hermione. Gravure d'après Girodet (1801) pour *Andromaque*, acte II, scène 2.

17. Sans que.
18. Je vous suis s'il me renvoie.

Questions

Repérer et analyser

Le personnage d'Oreste

1 Montrez, en citant le texte, qu'Oreste se présente comme un amant éconduit, c'est-à-dire qui aime et n'est pas aimé. Appuyez-vous sur le champ lexical du désespoir (v. 481 à 504).

2 Le thème du regard

> Le thème du regard est chez Racine lié à la passion amoureuse ; celui qui aime n'existe que par le regard de l'autre. Ne pas être regardé, donc ne pas être aimé, c'est mourir. En même temps, le thème du regard fait partie du langage précieux et galant.

Relevez dans la tirade vers 481 à 504 les vers qui se réfèrent au thème du regard. Quel pouvoir les yeux d'Hermione ont-ils sur Oreste ?

3 **a.** Oreste se fait-il des illusions sur les sentiments d'Hermione ? Justifiez votre réponse.

b. Montrez, en citant le texte, qu'il se montre ironique vis-à-vis de lui-même.

4 Quel espoir Hermione lui laisse-t-elle entrevoir à la fin de la scène ?

La stratégie d'Hermione

5 **a.** Quel est l'état d'esprit d'Hermione vis-à-vis d'Oreste au début de la scène ?

b. Comment réagit-elle à ses déclarations d'amour ? Quelle question aborde-t-elle très vite (v. 505 à 511) ?

6 Montrez qu'Hermione n'est préoccupée que de Pyrrhus. Pour répondre, appuyez-vous sur le vers 515 d'une part et relevez dans chacune de ses répliques à partir du vers 551 les pronoms qui se réfèrent à Pyrrhus d'autre part. Sont-ils nombreux ?

7 **a.** Pour quelle raison Hermione a-t-elle besoin d'Oreste ? En quoi peut-il lui servir en tant qu'ambassadeur ?

b. Relevez des passages dans lesquels elle le ménage ou lui laisse quelque espoir d'être aimé. En quoi le vers 536, tout en se voulant rassurant, est-il particulièrement cruel ?

8 Quelle guerre Hermione est-elle prête à allumer pour assouvir sa vengeance ? Montrez qu'elle mêle conflit amoureux et politique.

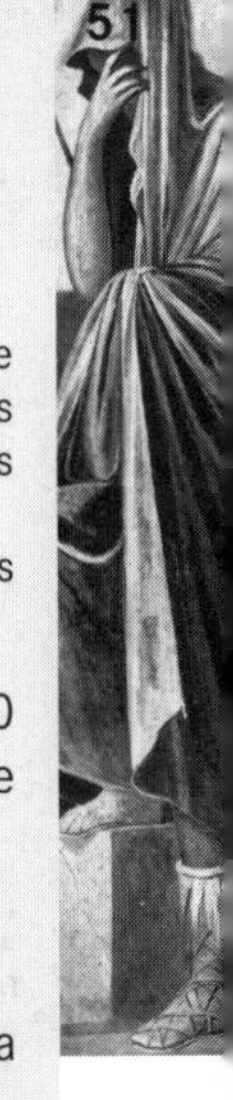

La passion racinienne

Les effets de symétrie

Les effets de symétrie, parallélisme ou antithèse sont fréquents dans la tragédie classique. Le rythme de l'alexandrin, divisé en deux hémistiches de six syllabes par la césure, souligne les répétitions ou les oppositions de mots et les rend plus expressives. Ainsi, dans le vers :
« Ah ! je l'ai trop aimé/pour ne le point haïr » (v. 416), l'antithèse entre les verbes « aimer » et « haïr » est mise en valeur par leur place dans le vers.

9 Relevez dans l'échange de répliques du vers 533 au vers 550 trois effets de parallélisme, fondés sur l'antithèse, qui montrent le caractère conflictuel de l'amour racinien.

Les hypothèses et attentes du spectateur

10 Quel chantage Hermione exerce-t-elle sur Oreste à la fin de la scène ?

11 **a.** Dans quel état d'esprit Oreste quitte-t-il la scène ? Espère-t-il enlever Hermione, compte tenu de la réponse qu'il a obtenue de Pyrrhus dans la scène 2 de l'acte I ?
b. À quoi s'attend le spectateur quant à lui ? Qu'a-t-il appris, que ne sait pas encore Oreste, dans la scène 4 de l'acte I ?

Se documenter

La famille des Atrides

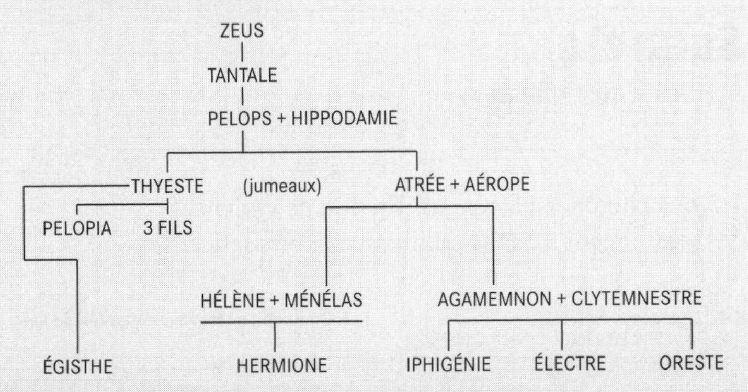

Acte II

Scène 3

Oreste.

ORESTE, *seul*

Oui, oui, vous me suivrez, n'en doutez nullement :
Je vous réponds déjà de son consentement.
Je ne crains pas enfin que Pyrrhus la retienne :
Il n'a devant les yeux que sa chère Troyenne ;
595 Tout autre objet[1] le blesse ; et peut-être aujourd'hui
Il n'attend qu'un prétexte à l'éloigner de lui.
Nous n'avons qu'à parler : c'en est fait. Quelle joie
D'enlever à l'Épire* une si belle proie !
Sauve tout ce qui reste et de Troie* et d'Hector*,
600 Garde son fils, sa veuve, et mille autres encor,
Épire[2] : c'est assez qu'Hermione rendue[3]
Perde à jamais tes bords et ton prince de vue.
Mais un heureux destin le[4] conduit en ces lieux.
Parlons. À tant d'attraits, Amour, ferme ses yeux !

Acte II

Scène 4

Pyrrhus, Oreste, Phœnix.

PYRRHUS

605 Je vous cherchais, Seigneur. Un peu de violence
M'a fait de vos raisons combattre la puissance,

1. La personne aimée.
2. Du v. 599 au v. 602, Oreste s'adresse à l'Épire, substitut de Pyrrhus.
3. Il me suffit qu'Hermione me soit rendue et perde de vue…
4. Désigne Pyrrhus.

Je l'avoue ; et depuis que je vous ai quitté,
J'en ai senti la force et connu[5] l'équité.
J'ai songé, comme vous, qu'à la Grèce, à mon père,
610 À moi-même, en un mot, je devenais contraire ;
Que je relevais Troie, et rendais imparfait
Tout ce qu'a fait Achille* et tout ce que j'ai fait.
Je ne condamne plus un courroux[6] légitime,
Et l'on vous va, Seigneur, livrer votre victime.

ORESTE

615 Seigneur, par ce conseil[7] prudent et rigoureux,
C'est acheter la paix du sang d'un malheureux.

PYRRHUS

Oui ; Mais je veux, Seigneur, l'assurer davantage :
D'une éternelle paix Hermione est le gage ;
Je l'épouse. Il semblait qu'un spectacle si doux
620 N'attendît en ces lieux qu'un témoin tel que vous.
Vous y représentez tous les Grecs et son père,
Puisqu'en vous Ménélas* voit revivre son frère.
Voyez-la donc. Allez. Dites-lui que demain
J'attends, avec la paix, son cœur de votre main.

ORESTE

625 Ah Dieux !

| **5.** Reconnu. | **6.** La colère des Grecs. | **7.** Décision.

Questions

Repérer et analyser

Le monologue d'Oreste

Au théâtre, un monologue est une tirade ou une scène au cours de laquelle le personnage, seul, exprime à voix haute ce qu'il pense ou ressent. En vertu de la double énonciation théâtrale, le monologue est une convention qui permet à l'auteur de faire connaître au spectateur l'état d'âme d'un personnage.

1 À qui Oreste s'adresse-t-il dans les deux premiers vers ? Relevez dans la scène précédente le vers qui fait le lien avec ces deux vers.

2 L'apostrophe

L'apostrophe est une figure de style qui consiste à s'adresser solennellement à une personne présente ou absente, ou à une réalité qu'on personnifie.

a. À quel sentiment Oreste s'abandonne-t-il dans ce monologue ?

b. En quoi son langage traduit-il son sentiment ? Pour répondre, appuyez-vous sur l'adverbe d'affirmation renforcé, sur le pronom personnel par lequel il se désigne vers 597 et 604, sur les deux apostrophes que vous relèverez, sur les phrases de type exclamatif.

La progression de l'action

3 Quel vers constitue un coup de théâtre ? En quoi consiste-t-il ?

4 Que décide Pyrrhus concernant Hermione ? Par quel procédé « Je l'épouse » est mis en valeur dans le vers 619 ?

5 Comment Pyrrhus explique-t-il son revirement ? Est-il sincère ?

6 L'ironie tragique

L'ironie tragique prend la forme d'un sort cruellement moqueur à l'égard d'un héros : il se produit le contraire de ce que le personnage avait espéré.

En quoi Oreste est-il victime de la décision de Pyrrhus ? Montrez que l'on peut parler d'ironie tragique (voir scène précédente).

7 De quelle mission Pyrrhus charge-t-il Oreste ? En quoi est-il particulièrement cruel envers lui ? Comment expliquez-vous cette cruauté ?

Les attentes du spectateur

8 Dans quel état Oreste se trouve-t-il à la fin de la scène ? À quelle suite le spectateur s'attend-il ?

Acte II

Scène 5

Pyrrhus, Phœnix.

PYRRHUS

Hé bien, Phœnix, l'amour est-il le maître ?
Tes yeux refusent-ils encor de me connaître ?

PHŒNIX

Ah ! je vous reconnais ; et ce juste courroux,
Ainsi qu'à tous les Grecs, Seigneur, vous rend à vous.
Ce n'est plus le jouet d'une flamme servile[1] :
630 C'est Pyrrhus, c'est le fils et le rival d'Achille*,
Que la gloire à la fin ramène sous ses lois,
Qui triomphe de Troie* une seconde fois.

PYRRHUS

Dis plutôt qu'aujourd'hui commence ma victoire.
D'aujourd'hui seulement je jouis de ma gloire ;
635 Et mon cœur, aussi fier que tu l'as vu soumis,
Croit avoir en l'amour vaincu mille ennemis.
Considère, Phœnix, les troubles que j'évite,
Quelle foule de maux l'amour traîne à sa suite,
Que d'amis, de devoirs, j'allais sacrifier,
640 Quels périls... Un regard m'eût tout fait oublier.
Tous les Grecs conjurés fondaient sur un rebelle.
Je trouvais du plaisir à me perdre pour elle.

PHŒNIX

Oui, je bénis, Seigneur, l'heureuse cruauté[2]
Qui vous rend...

1. Amour pour une esclave.

2. L'indifférence d'Andromaque qui a eu l'heureux résultat que Pyrrhus fait constater à Phœnix.

PYRRHUS

Tu l'as vu, comme elle m'a traité.

645 Je pensais, en voyant sa tendresse alarmée,
Que son fils me la dût renvoyer désarmée.
J'allais voir le succès[3] de ses embrassements :
Je n'ai trouvé que pleurs mêlés d'emportements.
Sa misère l'aigrit ; et toujours plus farouche[4],
650 Cent fois le nom d'Hector* est sorti de sa bouche.
Vainement à son fils j'assurais mon secours :
« C'est Hector, disait-elle en l'embrassant toujours ;
Voilà ses yeux, sa bouche, et déjà son audace ;
C'est lui-même, c'est toi[5], cher époux, que j'embrasse. »
655 Et quelle est sa pensée ? Attend-elle en ce jour
Que je lui laisse un fils pour nourrir son amour ?

PHŒNIX

Sans doute. C'est le prix que vous gardait l'ingrate.
Mais laissez-la, Seigneur.

PYRRHUS

Je vois ce qui la flatte[6].

Sa beauté la rassure ; et malgré mon courroux,
660 L'orgueilleuse m'attend encore à ses genoux.
Je la verrais aux miens, Phœnix, d'un œil tranquille.
Elle est veuve d'Hector, et je suis fils d'Achille :
Trop de haine sépare Andromaque et Pyrrhus.

PHŒNIX

Commencez donc, Seigneur, à ne m'en parler plus.
665 Allez voir Hermione ; et content de lui plaire,

3. Résultat bon ou mauvais d'une action.
4. Rupture de construction : apposition à Andromaque qui n'est représentée dans la phrase que par l'adjectif possessif « sa ».
5. Passage significatif de la 3e à la 2e personne.
6. Ce qui l'entretient dans l'illusion.

Oubliez à ses pieds jusqu'à votre colère.
Vous-même à cet hymen[7] venez la disposer.
Est-ce sur un rival qu'il s'en faut reposer ?
Il ne l'aime que trop.

PYRRHUS

Crois-tu, si je l'épouse,
670 Qu'Andromaque en son cœur n'en sera pas jalouse ?

PHŒNIX

Quoi ? toujours Andromaque occupe votre esprit ?
Que vous importe, ô Dieux ! sa joie ou son dépit ?
Quel charme[8], malgré vous, vers elle vous attire ?

PYRRHUS

Non, je n'ai pas bien dit tout ce qu'il lui faut dire :
675 Ma colère à ses yeux n'a paru qu'à demi ;
Elle ignore à quel point je suis son ennemi.
Retournons-y. Je veux la braver à sa vue,
Et donner à ma haine une libre étendue[9].
Viens voir tous ses attraits, Phœnix, humiliés.
680 Allons.

PHŒNIX

Allez, Seigneur, vous jeter à ses pieds.
Allez, en lui jurant que votre âme l'adore,
À de nouveaux mépris l'encourager encore.

PYRRHUS

Je le vois bien, tu crois que prêt à l'excuser
Mon cœur court après elle, et cherche à s'apaiser.

7. Mariage.
8. Fascination.
9. Je veux la braver en face et donner libre cours à ma haine.

PHŒNIX

685 Vous aimez : c'est assez.

PYRRHUS

Moi l'aimer ? une ingrate
Qui me hait d'autant plus que mon amour la flatte[10] ?
Sans parents, sans amis, sans espoir que[11] sur moi,
Je puis perdre son fils ; peut-être je le doi[12].
Étrangère… que dis-je ? esclave dans l'Épire*,
690 Je lui donne son fils, mon âme, mon empire :
Et je ne puis gagner dans son perfide cœur
D'autre rang que celui de son persécuteur ?
Non, non, je l'ai juré, ma vengeance est certaine :
Il faut bien une fois justifier sa haine.
695 J'abandonne son fils. Que de pleurs vont couler !
De quel nom sa douleur me va-t-elle appeler !
Quel spectacle pour elle aujourd'hui se dispose !
Elle en mourra, Phœnix, et j'en serai la cause.
C'est lui mettre moi-même un poignard dans le sein.

PHŒNIX

700 Et pourquoi donc en faire éclater le dessein ?
Que ne consultiez-vous tantôt votre faiblesse ?

PYRRHUS

Je t'entends. Mais excuse un reste de tendresse.
Crains-tu pour ma colère un si faible combat ?
D'un amour qui s'éteint c'est le dernier éclat.
705 Allons. À tes conseils, Phœnix, je m'abandonne.
Faut-il livrer son fils ? faut-il voir Hermione ?

10. Mon amour la ménage, lui laisse un espoir.
11. Sans espoir autre que moi.
12. Orthographe ancienne.

PHŒNIX

Oui, voyez-la, Seigneur, et par des vœux[13] soumis
Protestez-lui…

PYRRHUS

Faisons tout ce que j'ai promis.

Gravure de Valentin Foulquier (1876) pour *Andromaque*.

| **13.** Serments d'amour.

Questions

Repérer et analyser

La passion amoureuse

Les personnages de tragédie ne peuvent aller contre leur passion qui échappe au contrôle de leur volonté et qui resurgit toujours malgré le désir qu'ils peuvent avoir de s'en débarrasser.

1 **a.** Citez les vers dans lesquels Pyrrhus se félicite de ne plus aimer Andromaque.
b. Montrez que dans l'ensemble de la scène Pyrrhus est en contradiction avec lui-même.
Pour répondre, vous vous appuierez sur le vers 644 et vous montrerez qu'à partir de ce vers, toutes les répliques de Pyrrhus font référence à Andromaque (les pronoms, les déterminants possessifs, le nom qui la désigne).

2 **a.** Sous quel prétexte Pyrrhus veut-il retourner auprès d'Andromaque (v. 675 à 680) ?
b. Ce comportement à l'égard d'une captive est-il digne d'un roi ?

3 **a.** Relevez dans les vers 685 à 692 l'accumulation de raisons pour ne pas aimer Andromaque.
b. En quoi toutes ces raisons se trouvent-elles être en même temps des raisons de l'aimer ?
c. Quel scénario imagine-t-il pour tourmenter Andromaque (v. 693 à 699) ? En quoi ce scénario ne fait-il qu'accroître son amour ?

Le rôle de Phœnix

4 **a.** Qui est Phœnix ? Reportez-vous à la liste des personnages et dites quel est le sens du mot « gouverneur ».
b. Quels conseils Phœnix donne-t-il à Pyrrhus ? Quels reproches lui fait-il ? Vous les comparerez avec ceux de Cléone à la scène 1 de l'acte II.
c. À quel moment Phœnix se montre-t-il ironique ?

5 Qu'a-t-il obtenu finalement de Pyrrhus ? Appuyez-vous sur la dernière réplique de la scène.

Les hypothèses et attentes du spectateur

6 **a.** Comme l'acte I, l'acte II se termine par une décision de Pyrrhus. Laquelle ?
b. Dans quelle scène Pyrrhus a-t-il annoncé pour la première fois qu'il allait prendre cette décision ? Paraît-elle toujours aussi certaine au spectateur ?

Écrire et mettre en scène

Écrire un dialogue

7 Écrivez en prose le dialogue évoqué par Pyrrhus aux vers 644 à 656. Vous respecterez la situation des personnages et pourrez également réutiliser des éléments de la scène 4 de l'acte I.

8 Écrivez en prose un dialogue comique qui mettra en scène la situation de Pyrrhus : un personnage masculin déclare à un autre (ami, valet…) qu'il n'est plus amoureux, mais il est obsédé par le souvenir de son amie et n'a qu'une idée, la revoir.

Jouer une scène

9 Mettez-vous ensuite à deux et jouez une des scènes devant la classe.

Acte III

Scène première

Oreste, Pylade.

PYLADE

Modérez donc, Seigneur, cette fureur extrême.
710 Je ne vous connais[1] plus : vous n'êtes plus vous-même.
Souffrez...

ORESTE

Non, tes conseils ne sont plus de saison,
Pylade, je suis las d'écouter la raison.
C'est traîner trop longtemps ma vie et mon supplice :
Il faut que je l'enlève, ou bien que je périsse.
715 Le dessein en est pris, je le veux achever.
Oui, je le veux.

PYLADE

Hé bien, il la faut enlever :
J'y consens. Mais songez cependant où vous êtes.
Que croira-t-on de vous, à voir ce que vous faites ?
Dissimulez : calmez ce transport inquiet ;
720 Commandez à vos yeux de garder le secret.
Ces gardes, cette cour, l'air qui vous environne,
Tout dépend de Pyrrhus, et surtout Hermione.
À ses regards surtout cachez votre courroux.
Ô Dieux ! en cet état pourquoi la cherchiez-vous ?

ORESTE

725 Que sais-je ? De moi-même étais-je alors le maître ?

1. Reconnais.

La fureur m'emportait, et je venais peut-être
Menacer à la fois l'ingrate et son amant.

PYLADE

Et quel était le fruit de cet emportement[2] ?

ORESTE

Et quelle âme, dis-moi, ne serait éperdue[3]
730 Du coup dont ma raison vient d'être confondue ?
Il épouse, dit-il, Hermione demain;
Il veut, pour m'honorer, la tenir de ma main.
Ah ! plutôt cette main dans le sang du barbare[4]...

PYLADE

Vous l'accusez, Seigneur, de ce destin bizarre[5].
735 Cependant, tourmenté de ses propres desseins,
Il est peut-être à plaindre autant que je vous plains.

ORESTE

Non, non; je le connais, mon désespoir le flatte[6];
Sans moi, sans mon amour, il dédaignait l'ingrate;
Ses charmes jusque-là n'avaient pu le toucher:
740 Le cruel ne la prend que pour me l'arracher.
Ah Dieux ! c'en était fait. Hermione gagnée
Pour jamais de sa vue allait être éloignée.
Son cœur, entre l'amour et le dépit confus[7],
Pour se donner à moi n'attendait qu'un refus:
745 Ses yeux s'ouvraient, Pylade; elle écoutait Oreste,
Lui parlait, le plaignait. Un mot eût fait le reste.

2. Quel aurait été le résultat de cette colère?
3. Profondément troublée.
4. Pyrrhus: insulte à la fois politique (l'Épire est une province reculée, réputée moins civilisée que le Péloponnèse) et morale (cruauté de Pyrrhus).
5. Situation due au caprice du sort.
6. Lui fait plaisir.
7. Hésitant entre l'amour et le dépit.

PYLADE

Vous le croyez !

ORESTE

Hé quoi ? ce courroux enflammé
Contre un ingrat…

PYLADE

Jamais il ne fut plus aimé.
Pensez-vous, quand[8] Pyrrhus vous l'aurait accordée,
750 Qu'un prétexte tout prêt ne l'eût pas retardée ?
M'en croirez-vous ? Lassé de ses trompeurs attraits,
Au lieu de l'enlever, fuyez-la pour jamais.
Quoi ? votre amour se veut charger d'une furie
Qui vous détestera, qui, toute votre vie
755 Regrettant un hymen tout prêt à s'achever,
Voudra…

ORESTE

C'est pour cela que je veux l'enlever.
Tout lui rirait, Pylade ; et moi, pour mon partage,
Je n'emporterais donc qu'une inutile rage ?
J'irais loin d'elle encor tâcher de l'oublier ?
760 Non, non, à mes tourments je veux l'associer.
C'est trop gémir tout seul. Je suis las qu'on me plaigne :
Je prétends qu'à mon tour l'inhumaine me craigne,
Et que ses yeux cruels, à pleurer condamnés,
Me rendent tous les noms que je leur ai donnés.

PYLADE

765 Voilà donc le succès[9] qu'aura votre ambassade :
Oreste ravisseur !

8. Même si.

9. Résultat (heureux ou malheureux).

ORESTE

Et qu'importe, Pylade ?
Quand nos États vengés jouiront de mes soins,
L'ingrate de mes pleurs jouira-t-elle moins ?
Et que me servira que la Grèce m'admire,
770 Tandis que je serai la fable[10] de l'Épire ?
Que veux-tu ? Mais, s'il faut ne te rien déguiser,
Mon innocence enfin commence à me peser.
Je ne sais de tout temps quelle injuste puissance
Laisse le crime en paix et poursuit l'innocence.
775 De quelque part sur moi que je tourne les yeux[11],
Je ne vois que malheurs qui condamnent les Dieux.
Méritons leur courroux, justifions leur haine,
Et que le fruit du crime en précède la peine.
Mais toi, par quelle erreur veux-tu toujours sur toi
780 Détourner un courroux qui ne cherche que moi ?
Assez et trop longtemps mon amitié t'accable :
Évite un malheureux, abandonne un coupable,
Cher Pylade, crois-moi, ta pitié te séduit[12].
Laisse-moi des périls dont j'attends tout le fruit.
785 Porte aux Grecs cet enfant que Pyrrhus m'abandonne.
Va-t'en.

PYLADE

Allons, Seigneur, enlevons Hermione.
Au travers des périls un grand cœur se fait jour.
Que ne peut l'amitié conduite par l'amour ?
Allons de tous vos Grecs encourager le zèle.
790 Nos vaisseaux sont tout prêts, et le vent nous appelle.
Je sais[13] de ce palais tous les détours obscurs ;

10. La risée.
11. Quel que soit l'aspect de ma vie que je considère.
12. Ta pitié te trompe.
13. Je connais.

Vous voyez que la mer en vient battre les murs;
Et cette nuit, sans peine, une secrète voie
Jusqu'en votre vaisseau conduira votre proie.

ORESTE

795 J'abuse, cher ami, de ton trop d'amitié.
Mais pardonne à des maux dont toi seul as pitié;
Excuse un malheureux qui perd tout ce qu'il aime,
Que tout le monde hait, et qui se hait lui-même.
Que ne puis-je à mon tour dans un sort plus heureux…

PYLADE

800 Dissimulez, Seigneur: c'est tout ce que je veux.
Gardez[14] qu'avant le coup votre dessein n'éclate:
Oubliez jusque-là qu'Hermione est ingrate;
Oubliez votre amour. Elle vient, je la voi[15].

ORESTE

Va-t-en. Réponds-moi d'elle, et je réponds de moi.

14. Prenez garde, évitez que votre projet soit connu avant sa réalisation.
15. Orthographe ancienne.

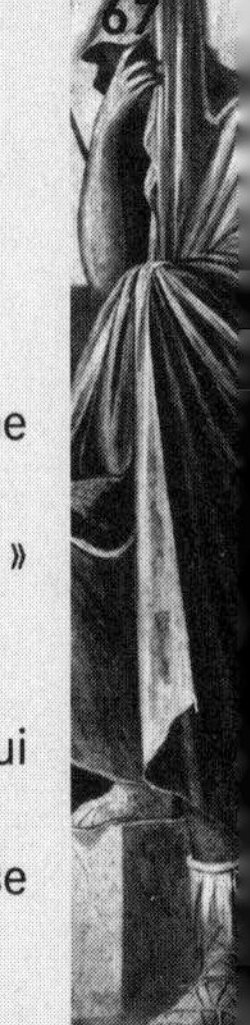

Repérer et analyser

Le personnage d'Oreste

1 **a.** Quelles paroles de Pylade présentent d'emblée Oreste comme pris d'un accès de folie ?
b. Par quelles expressions Oreste confirme-t-il ce « diagnostic » vers 725 à 730 ?
2 Analysez les premiers symptômes de la folie d'Oreste.
a. Montrez qu'il souffre du délire de persécution (v. 740 à 776). Qui lui en veut, d'après lui (v. 740, 768 à 770, 773 à 776) ?
b. De qui est-il foncièrement jaloux et quelle image violente s'impose à lui (v. 733) ?
3 **a.** Quelle décision Oreste prend-il concernant Hermione ?
b. En quoi trahit-il ses devoirs d'ambassadeur ?
c. Montrez que chez lui l'amour apparaît comme essentiellement cruel (v. 760 à 764).

Les relations entre Oreste et Pylade

4 **a.** Comment Pylade réagit-il à la fureur d'Oreste ? Caractérisez les étapes de son action pour le ramener au calme (v. 709 à 728, 734 à 756, 765-766 et 786 à la fin).
b. Quel en est le résultat ?
5 **a.** En quoi Pylade est-il plus qu'un confident ? Quels liens l'attachent à Oreste ?
b. Comment expliquez-vous le fait que ce soit Pylade qui expose finalement le plan de l'enlèvement ?
6 Quels mots Oreste a-t-il pour Pylade (v. 779 à 786) ? Quels sentiments éprouve-t-il pour lui ?

L'espace extérieur

L'action de la tragédie classique se déroule dans un lieu unique, espace clos figuré par la scène. Il arrive que des personnages fassent allusion à un espace hors scène. Un arrière-plan se dessine, donne du relief, créant souvent un effet poétique.

7 Relevez les vers par lesquels Pylade transporte le spectateur hors du palais. Quel est l'espace suggéré ? Quel est l'effet produit par cette évocation par rapport au palais ?

Les hypothèses et les attentes du spectateur

8 Dans quelle scène de l'acte I Oreste avait-il déjà formé le projet d'enlever Hermione ? Le spectateur peut-il penser que ce projet aura plus de chances de se réaliser à ce stade de l'action ? Justifiez votre réponse.

9 En quoi cette scène peut-elle apparaître comme prophétique de la violence d'Oreste et de sa folie ?

Décor de théâtre, XVIIIe siècle. Paris, Bibliothèque des Arts décoratifs.

Acte III

Scène 2

Hermione, Oreste, Cléone.

ORESTE

805 Hé bien ! mes soins vous ont rendu votre conquête.
J'ai vu Pyrrhus, Madame, et votre hymen s'apprête.

HERMIONE

On le dit ; et de plus on vient de m'assurer
Que vous ne me cherchiez que pour m'y préparer.

ORESTE

Et votre âme à ses vœux ne sera pas rebelle ?

HERMIONE

810 Qui l'eût cru, que Pyrrhus ne fût pas infidèle ?
Que sa flamme attendrait si tard pour éclater ?
Qu'il reviendrait à moi quand je l'allais quitter ?
Je veux croire avec vous qu'il redoute la Grèce,
Qu'il suit son intérêt plutôt que sa tendresse,
815 Que mes yeux sur votre âme étaient plus absolus[1].

ORESTE

Non, Madame : il vous aime, et je n'en doute plus.
Vos yeux ne font-ils pas tout ce qu'ils veulent faire ?
Et vous ne vouliez pas sans doute lui déplaire.

HERMIONE

Mais que puis-je, Seigneur ? On a promis ma foi.
820 Lui ravirai-je un bien qu'il ne tient pas de moi ?

1. Que les effets de mon charme étaient plus puissants sur vous.

L'amour ne règle pas le sort d'une princesse :
La gloire d'obéir est tout ce qu'on nous laisse.
Cependant je partais, et vous avez pu voir
Combien je relâchais pour vous de mon devoir.

ORESTE

825 Ah ! que vous saviez bien, cruelle… Mais, Madame,
Chacun peut à son choix disposer de son âme.
La vôtre était à vous. J'espérais ; mais enfin
Vous l'avez pu donner sans me faire un larcin.
Je vous accuse aussi bien moins que la fortune.
830 Et pourquoi vous lasser d'une plainte importune ?
Tel est votre devoir, je l'avoue ; et le mien
Est de vous épargner un si triste entretien.

Acte III

Scène 3

Hermione, Cléone.

HERMIONE

Attendais-tu, Cléone, un courroux si modeste[2] ?

CLÉONE

La douleur qui se tait n'en est que plus funeste.
835 Je le plains : d'autant plus qu'auteur de son ennui[3],
Le coup qui l'a perdu n'est parti que de lui.
Comptez depuis quel temps votre hymen se prépare ;
Il a parlé, Madame, et Pyrrhus se déclare.

2. Modéré.
3. Se rapporte à Oreste : c'est lui qui est responsable de ses propres maux.

HERMIONE

Tu crois que Pyrrhus craint ? Et que craint-il encor ?
840 Des peuples qui dix ans ont fui devant Hector*,
Qui cent fois, effrayés de l'absence d'Achille*,
Dans leurs vaisseaux brûlants[4] ont cherché leur asile,
Et qu'on verrait encor, sans l'appui de son fils,
Redemander Hélène* aux Troyens impunis ?
845 Non, Cléone, il n'est point ennemi de lui-même ;
Il veut tout ce qu'il fait ; et s'il m'épouse, il m'aime.
Mais qu'Oreste à son gré m'impute ses douleurs :
N'avons-nous d'entretien que celui de ses pleurs ?
Pyrrhus revient à nous. Hé bien ! chère Cléone,
850 Conçois-tu les transports de l'heureuse Hermione ?
Sais-tu quel[5] est Pyrrhus ? T'es-tu fait raconter
Le nombre des exploits... Mais qui les peut compter ?
Intrépide, et partout suivi de la victoire,
Charmant, fidèle enfin, rien ne manque à sa gloire.
855 Songe...

CLÉONE

Dissimulez. Votre rivale en pleurs
Vient à vos pieds, sans doute, apporter ses douleurs.

HERMIONE

Dieux ! ne puis-je à ma joie abandonner mon âme ?
Sortons : que lui dirais-je ?

4. Voir vers 163 et note 6, p. 21.
5. Qui.

Questions

Repérer et analyser

L'entretien entre Hermione et Oreste

1 Quelle demande Hermione avait-elle faite à Oreste au vers 587 ?

2 Oreste dit-il la vérité quand il déclare avoir fait une démarche auprès de Pyrrhus (v. 805-806) ? Pour quelle raison parle-t-il ainsi ?

3 Comment Hermione justifie-t-elle sa soumission aux désirs de Pyrrhus (v. 819 à 824) ?

4 Montrez en citant le texte qu'Hermione joue avec les sentiments d'Oreste (que lui fait-elle croire ?) et qu'Oreste parvient à se maîtriser (qui accuse-t-il au vers 829 ?). Que ressent-il en fait ?

L'entretien entre Cléone et Hermione

5 **a.** Hermione pense-t-elle que Pyrrhus revient à elle parce qu'il l'aime ou parce qu'il craint les Grecs (v. 810 à 815 et 845-846) ? Par quel raisonnement arrive-t-elle à la conclusion du vers 846 ?
b. Quelle est la véritable raison du revirement de Pyrrhus ? Hermione l'envisage-t-elle ? Pourquoi ?

6 L'interrogation oratoire

L'interrogation oratoire est une question qui n'attend pas de réponse.

Comment Hermione exprime-t-elle sa joie une fois seule avec Cléone (v. 849-850) ? Appuyez-vous sur le lexique, l'interrogation oratoire, la désignation d'elle-même à la troisième personne.

7 Quel portrait fait-elle de Pyrrhus ? Quel est l'effet produit par la rupture du vers 852 ? Montrez qu'elle se laisse aller à son rêve.

8 Cléone vous paraît-elle lucide quant à l'état intérieur d'Oreste ? Et quant à la décision de Pyrrhus ? Justifiez votre réponse.

Les hypothèses et attentes du spectateur

9 Hermione et Oreste jouent chacun un rôle. Sont-ils crédibles l'un pour l'autre ? Le sont-ils pour le spectateur ? Ce dernier connaît-il le motif qui a conduit Pyrrhus à demander Hermione en mariage ?

10 Quel personnage survient ? À quelle suite peut-on s'attendre ?

Acte III

Scène 4

Andromaque, Hermione, Cléone, Céphise.

ANDROMAQUE

Où fuyez-vous, Madame ?
N'est-ce point à vos yeux un spectacle assez doux
860 Que la veuve d'Hector* pleurante[1] à vos genoux ?
Je ne viens point ici, par de jalouses larmes,
Vous envier un cœur qui se rend à vos charmes.
Par une main cruelle, hélas ! j'ai vu percer
Le seul[2] où[3] mes regards prétendaient s'adresser.
865 Ma flamme par Hector fut jadis allumée ;
Avec lui dans la tombe elle s'est enfermée ;
Mais il me reste un fils. Vous saurez quelque jour,
Madame, pour un fils, jusqu'où va notre amour ;
Mais vous ne saurez pas, du moins je le souhaite,
870 En quel trouble mortel son intérêt[4] nous jette,
Lorsque de tant de biens qui pouvaient nous flatter,
C'est le seul qui nous reste, et qu'on veut nous l'ôter.
Hélas ! lorsque lassés de dix ans de misère,
Les Troyens en courroux menaçaient votre mère,
875 J'ai su de mon Hector lui procurer l'appui[5].
Vous pouvez sur Pyrrhus ce que j'ai pu sur lui.
Que craint-on d'un enfant qui survit à sa perte[6] ?
Laissez-moi le cacher en quelque île déserte.
Sur les soins de sa mère on peut s'en assurer,
880 Et mon fils avec moi n'apprendra qu'à pleurer.

1. Le participe présent employé comme verbe peut s'accorder comme un adjectif au XVIIe siècle.
2. Le seul cœur.
3. Auquel.
4. L'intérêt que nous lui portons.
5. Hélène elle-même pleure la mort d'Hector qui l'a protégée quelquefois de la haine des Troyens (*Iliade*, chant XXIV).
6. À la mort d'Hector ou à sa propre ruine.

HERMIONE

Je conçois vos douleurs. Mais un devoir austère,
Quand mon père a parlé, m'ordonne de me taire.
C'est lui qui de Pyrrhus fait agir le courroux.
S'il faut fléchir Pyrrhus, qui le peut mieux que vous ?
885 Vos yeux assez longtemps ont régné sur son âme.
Faites-le prononcer[7] : j'y souscrirai, Madame.

Acte III

Scène 5

Andromaque, Céphise.

ANDROMAQUE

Quel mépris la cruelle attache à ses refus !

CÉPHISE

Je croirais ses conseils, et je verrais Pyrrhus.
Un regard confondrait[8] Hermione et la Grèce…
890 Mais lui-même il vous cherche.

7. Exprimer sa décision. | **8.** Réduirait à néant le projet d'Hermione et de la Grèce.

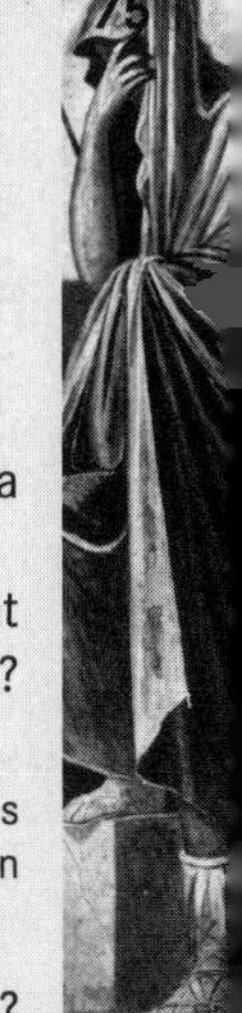

Repérer et analyser

L'entretien entre Hermione et Andromaque

La situation

1 **a.** En quoi les deux femmes s'opposent-elles par leur statut à la cour, et par leur statut familial ?

b. Quel est l'état d'esprit de chacune des deux femmes au moment de la rencontre ? Laquelle est toute à sa joie, laquelle toute à sa peine ?

2 Les didascalies internes

Les didascalies internes sont des indications scéniques incluses dans les répliques : ce sont les mots prononcés par les personnages qui indiquent un mouvement, une attitude…

Quel mouvement Hermione effectue-t-elle au début de la scène ? Dans quelle posture Andromaque se trouve-t-elle par rapport à Hermione ? Justifiez votre réponse en citant le texte.

La requête d'Andromaque

Dans cette scène, Andromaque supplie Hermione de lui accorder une faveur. Elle lui adresse une supplique ou une requête. Ce genre de discours suit un plan conventionnel :
- d'abord le demandeur cherche à attirer l'attention et la bienveillance du destinataire, il se présente et présente l'objet de sa demande sous un angle favorable, en écartant les objections qui pourraient y faire obstacle ;
- ensuite, il défend son point de vue avec une série d'arguments et en tire les conséquences.

3 Dans quel but Andromaque vient-elle trouver Hermione ? Qu'attend-elle d'elle ?

4 Reformulez les différentes étapes de la requête d'Andromaque :
- v. 861 à 866 : « Je ne suis pas… » ;
- v. 867 à 872 : « Je suis une… comme vous le serez un jour » ;
- v. 873 à 876 : « De même que sur mon intervention Hector protégea votre mère, de même faites… » ;
- v. 877 à 880 : « Vous n'avez rien à craindre d'un… Laissez-moi le… ».

5 **a.** Par quelle expression Andromaque se désigne-t-elle vers 860 ? En quoi le choix de cette expression est-il habile ? Montrez qu'elle se place dans le camp des vaincus.

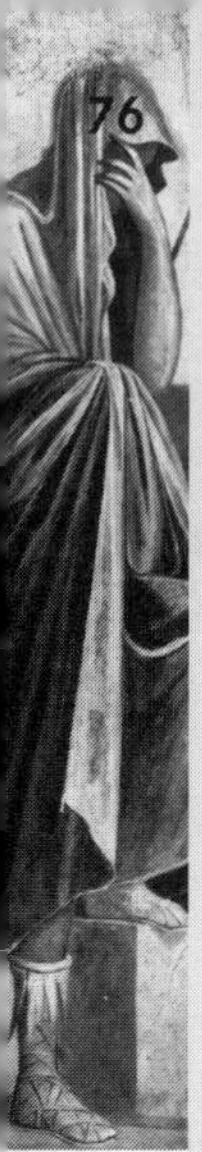

b. Andromaque nomme-t-elle directement Achille au vers 863 ? En quoi fait-elle preuve d'une certaine délicatesse ?

6 Relevez la métaphore du vers 865. Quelle image Andromaque donne-t-elle de son amour ?

7 **a.** L'enjambement

Il y a enjambement lorsqu'une phrase ou proposition commencée dans un vers se poursuit au vers suivant.

Relisez les vers 867-868. Identifiez les coupes, l'enjambement. Quel est le groupe nominal mis en valeur ?

b. Quel pronom personnel et quel déterminant possessif (v. 867 à 872) Andromaque utilise-t-elle pour substituer une solidarité de femmes à la relation de rivalité entre Hermione et elle ? Y parvient-t-elle ? Pourquoi ?

La réplique d'Hermione

8 Sur quel ton Hermione répond-elle à Andromaque ? Derrière quelle autorité se réfugie-t-elle ? À quel personnage la renvoie-t-elle ?

Les hypothèses et attentes du spectateur

9 Quel sentiment Andromaque suscite-t-elle chez le spectateur ?

10 Comment Hermione met-elle en route à son tour le mécanisme de l'ironie tragique (voir acte II, scènes 3 et 4) ?

11 Quel personnage survient à la fin de la scène ? Quelle nouvelle péripétie se prépare ?

Se documenter

Une source de Racine : Euripide

Voici un extrait de la pièce d'Euripide : *Andromaque*, écrite au Ve siècle av. J.-C.

Il s'agit d'une confrontation entre les deux rivales : Andromaque est la concubine de Pyrrhus, dont elle a un fils, Molossos, et Hermione est son épouse légitime, mais stérile.

Le passage se situe presque au début de la pièce, dans le premier épisode.

HERMIONE. – Ces parures d'or qui brillent sur ma tête, ces riches vêtements, ces tissus précieux dont mon corps est couvert ne sont point de la maison d'Achille ou de Pélée; mais je les ai apportés ici, ces présents de noces, de la terre de Sparte; Ménélas, mon père, me les a donnés avec une dot magnifique; j'ai donc le droit de parler librement. Telle est donc la réponse que j'ai à vous faire. Mais toi, esclave et captive par le sort de la guerre, tu voudrais me chasser de ce palais, pour y être maîtresse; tu me rends odieuse à mon époux par tes maléfices, et tu as frappé mon sein de stérilité; car l'esprit des femmes de l'Asie est habile dans ces arts funestes; mais je réprimerai ton audace; ni la demeure de la fille de Nérée, ni ce temple, ni cet autel ne te protégeront; mais tu mourras. Et si quelqu'un des mortels ou des dieux veut sauver tes jours, il te faudra, au lieu de cet ancien orgueil si hautain, prendre des sentiments plus humbles, trembler, tomber à mes genoux, balayer ma maison, répandre des vases d'or l'eau pure de l'Achéloos, et connaître en quel lieu de la terre tu es; car il n'y a plus ici ni Hector, ni Priam, ni opulence, mais une ville grecque. Malheureuse, tu en viens à ce point d'égarement d'oser entrer dans le lit de celui dont le père a tué ton époux, et avoir des enfants d'un meurtrier ! [...]

LE CHŒUR. – La jalousie est une passion des femmes; toujours elles haïssent celles qui partagent avec elles le lit de leur époux.

ANDROMAQUE. – [...] Dis-moi, jeune femme, à quel titre sérieux pourrais-je te disputer les droits d'un hymen légitime ? [...]
Ce ne sont pas mes maléfices qui te font haïr de ton époux, mais tu ne sais pas lui rendre ton commerce agréable. Le véritable philtre, le voici : ce n'est pas la beauté, ô femme, ce sont les vertus qui plaisent aux maris. Mais toi, si quelque chose te blesse, tu parles avec emphase de la grandeur de Lacédémone, et de Scyros avec dédain; tu étales ta richesse parmi des pauvres; Ménélas est à tes yeux plus grand qu'Achille : voilà ce qui te rend odieuse à ton époux. Une femme, fût-elle unie à un méchant époux, doit chercher à lui plaire, et ne pas lutter avec lui d'arrogance. Si tu avais eu pour époux quelque roi de la Thrace, pays couvert de neige, où le même homme fait tour à tour partager sa couche à plusieurs femmes,

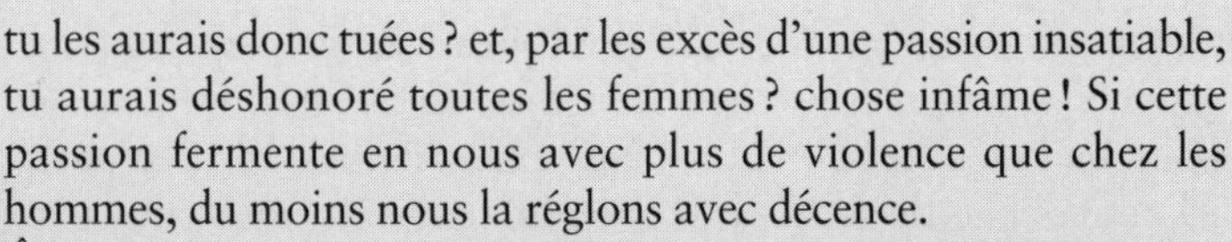

tu les aurais donc tuées ? et, par les excès d'une passion insatiable, tu aurais déshonoré toutes les femmes ? chose infâme ! Si cette passion fermente en nous avec plus de violence que chez les hommes, du moins nous la réglons avec décence.
Ô cher Hector, pour moi, si Vénus t'inspira quelque faiblesse, j'aimais, à cause de toi, les femmes que tu aimais ; souvent même je présentai mon sein aux enfants qu'une autre mère t'avait donnés, pour ne te faire sentir aucune amertume. En agissant ainsi je gagnais, par ma douceur, le cœur de mon époux. Mais toi, dans ta crainte jalouse, tu ne souffres pas même qu'une goutte de rosée céleste approche du tien. Femme, prends garde de surpasser en impudicité celle qui t'a donné le jour ; les enfants sensés doivent fuir l'exemple d'une mère vicieuse.

Euripide, *Andromaque*. Traduction de N. L. Artaud. Tragédies d'Euripide. Paris, Firmin-Didot, 1857.

École française, *Prise de Troie*, détail (XVIe siècle), crayon, encre et aquarelle sur parchemin. Chantilly, musée Condé.

Acte III

Scène 6

Pyrrhus, Andromaque, Phœnix, Céphise.

PYRRHUS, *à Phœnix*

Où donc est la princesse[1] ?

Ne m'avais-tu pas dit qu'elle était en ces lieux ?

PHŒNIX

Je le croyais.

ANDROMAQUE, *à Céphise*

Tu vois le pouvoir de mes yeux.

PYRRHUS

Que dit-elle, Phœnix ?

ANDROMAQUE

Hélas ! tout m'abandonne.

PHŒNIX

Allons, Seigneur, marchons sur les pas d'Hermione.

CÉPHISE

895 Qu'attendez-vous ? rompez ce silence obstiné.

ANDROMAQUE

Il a promis mon fils.

CÉPHISE

Il ne l'a pas donné.

1. Hermione.

ANDROMAQUE

Non, non, j'ai beau pleurer, sa mort est résolue.

PYRRHUS

Daigne-t-elle sur nous tourner au moins la vue ?
Quel orgueil !

ANDROMAQUE

Je ne fais que l'irriter encor.
900 Sortons.

PYRRHUS

Allons aux Grecs livrer le fils d'Hector*.

ANDROMAQUE

Ah ! Seigneur, arrêtez ! Que prétendez-vous faire ?
Si vous livrez le fils, livrez-leur donc la mère.
Vos serments m'ont tantôt juré tant d'amitié[2] !
Dieux ! ne pourrai-je au moins toucher votre pitié ?
905 Sans espoir de pardon m'avez-vous condamnée ?

PYRRHUS

Phœnix vous le dira, ma parole est donnée.

ANDROMAQUE

Vous qui braviez pour moi tant de périls divers !

PYRRHUS

J'étais aveugle alors : mes yeux se sont ouverts.
Sa grâce à vos désirs pouvait être accordée ;
910 Mais vous ne l'avez pas seulement demandée.
C'en est fait.

2. Atténuation pour « amour ».

ANDROMAQUE

Ah ! Seigneur, vous entendiez[3] assez
Des soupirs qui craignaient de se voir repoussés.
Pardonnez à l'éclat d'une illustre fortune[4]
Ce reste de fierté qui craint d'être importune.
915 Vous ne l'ignorez pas : Andromaque sans vous
N'aurait jamais d'un maître embrassé les genoux[5].

PYRRHUS

Non, vous me haïssez ; et dans le fond de l'âme
Vous craignez de devoir quelque chose à ma flamme.
Ce fils même, ce fils, l'objet de tant de soins,
920 Si je l'avais sauvé, vous l'en aimeriez moins.
La haine, le mépris, contre moi tout s'assemble ;
Vous me haïssez plus que tous les Grecs ensemble.
Jouissez à loisir d'un si noble courroux.
Allons, Phœnix.

ANDROMAQUE

Allons rejoindre mon époux.

CÉPHISE

925 Madame…

ANDROMAQUE

Et que veux-tu que je lui dise encore ?
Auteur de tous mes maux, crois-tu qu'il les ignore ?
Seigneur, voyez l'état où vous me réduisez.
J'ai vu mon père mort, et nos murs embrasés ;
J'ai vu trancher les jours de ma famille entière,

3. Compreniez.
4. Rang social élevé : Andromaque était reine avant d'être esclave.
5. Attitude rituelle du suppliant dans l'Antiquité.

930 Et mon époux sanglant traîné sur la poussière[6],
Son fils, seul avec moi, réservé pour les fers.
Mais que ne peut un fils ? Je respire, je sers[7].
J'ai fait plus : je me suis quelquefois consolée
Qu'ici, plutôt qu'ailleurs, le sort m'eût exilée ;
935 Qu'heureux dans son malheur, le fils de tant de rois,
Puisqu'il devait servir, fût tombé sous vos lois.
J'ai cru que sa prison deviendrait son asile[8].
Jadis Priam soumis fut respecté d'Achille[9]* :
J'attendais de son fils encor plus de bonté.
940 Pardonne, cher Hector*, à ma crédulité.
Je n'ai pu soupçonner ton ennemi[10] d'un crime ;
Malgré lui-même enfin je l'ai cru magnanime.
Ah ! s'il l'était assez pour nous laisser du moins
Au tombeau qu'à ta cendre ont élevé mes soins,
945 Et que finissant là sa haine et nos misères,
Il ne séparât point des dépouilles si chères !

PYRRHUS

Va m'attendre, Phœnix.

6. Évocation de la mort d'Hector : d'après le chant XXIV de l'*Iliade*, Achille vainqueur a traîné le cadavre d'Hector autour de Troie.
7. Formule très concise : je vis, je suis esclave.
8. Refuge.
9. Toujours d'après le chant XXIV de l'*Iliade*, Achille a accueilli, avec les égards dus à son âge et son rang, Priam venu réclamer le corps de son fils.
10. Pyrrhus, bien qu'Hector, mort avant son arrivée à Troie, n'ait pas pu le connaître.

Acte III

Scène 7

Pyrrhus, Andromaque, Céphise.

PYRRHUS, *continue*

Madame, demeurez.

On peut vous rendre encor ce fils que vous pleurez.
Oui, je sens à regret qu'en excitant vos larmes
950 Je ne fais contre moi que vous donner des armes.
Je croyais apporter plus de haine en ces lieux.
Mais, Madame, du moins tournez vers moi les yeux :
Voyez si mes regards sont d'un juge sévère,
S'ils sont d'un ennemi qui cherche à vous déplaire.
955 Pourquoi me forcez-vous vous-même à vous trahir ?
Au nom de votre fils, cessons de nous haïr.
À le sauver enfin c'est moi qui vous convie.
Faut-il que mes soupirs vous demandent sa vie ?
Faut-il qu'en sa faveur j'embrasse vos genoux[11] ?
960 Pour la dernière fois, sauvez-le, sauvez-vous.
Je sais de quels serments je romps pour vous les chaînes[12],
Combien je vais sur moi faire éclater de haines.
Je renvoie Hermione, et je mets sur son front,
Au lieu de ma couronne, un éternel affront.
965 Je vous conduis au temple où son hymen s'apprête ;
Je vous ceins du bandeau préparé pour sa tête[13].
Mais ce n'est plus, Madame, une offre à dédaigner :
Je vous le dis, il faut ou périr ou régner.
Mon cœur, désespéré d'un an d'ingratitude,
970 Ne peut plus de son sort souffrir l'incertitude.

11. Voir v. 916, p. 81.
12. La promesse de mariage avec Hermione et la promesse de restituer Astyanax aux Grecs.
13. Le bandeau royal, équivalent antique de la couronne ou du diadème.

C'est craindre, menacer et gémir trop longtemps.
Je meurs si je vous perds, mais je meurs si j'attends.
Songez-y : je vous laisse ; et je viendrai vous prendre
Pour vous mener au temple, où ce fils doit m'attendre ;
975 Et là vous me verrez, soumis ou furieux,
Vous couronner, Madame, ou le perdre à vos yeux[14].

Jacques-Louis David (1748-1825), *Le Départ d'Hector* (vers 1812), Paris, musée du Louvre.

14. Le faire mourir devant vos yeux.

Repérer et analyser

Le dépit amoureux

Au théâtre, et souvent dans la comédie, on appelle scène de dépit amoureux une scène dans laquelle un personnage montre du mécontentement en raison de la froideur de la personne aimée.

1 **a.** Reconstituez le jeu de scène entre les quatre personnages. Qui parle à qui ?
b. Montrez que Pyrrhus et Andromaque sont tous deux drapés dans leur dignité, comme dans une scène de dépit amoureux. Relevez les fausses sorties, les paroles que les personnages entendent mais qui ne leur étaient pas directement destinées.
c. Qui fait finalement le premier pas ?
2 Quelle est la fonction de chacun des deux confidents dans cette scène 6 ?

Les relations entre Pyrrhus et Andromaque

3 **a.** Quelle est l'attitude de Pyrrhus dans les vers 906 à 924 ? Montrez qu'il cherche à se montrer inflexible.
b. Quelle est sa motivation ?
4 **a.** Comment Andromaque s'y prend-elle pour le faire fléchir dans la tirade des vers 926 à 946 ? À qui s'adresse-t-elle successivement dans cette tirade ?
b. Quel est l'argument qui a particulièrement porté auprès de Pyrrhus (v. 940 à 946) ?
c. Pourquoi Pyrrhus renvoie-t-il Phœnix ?
5 Quelle proposition Pyrrhus fait-il à Andromaque dans la scène 7 ? Montrez qu'il effectue là un nouveau revirement.
6 Comment Pyrrhus fait-il comprendre à Andromaque qu'elle est seule responsable de son sort et de celui d'Astyanax (v. 948 à 960) ? Citez le texte.
7 L'alternative

L'alternative est une situation dans laquelle il faut choisir entre deux possibilités. Souvent, aucune n'est satisfaisante.

a. Quelle alternative Pyrrhus propose-t-il à Andromaque ? Relevez dans la tirade des vers 947 à 976 le vers qui l'exprime le mieux.
b. Pyrrhus laisse-t-il vraiment le choix à Andromaque ? Justifiez votre réponse en observant les temps et modes des verbes du vers 960 ainsi que des verbes d'action qui suivent (v. 963 à 968). Quelle est la valeur de ces modes et temps ?
c. Relevez les antithèses (dans la fin de la tirade de Pyrrhus, v. 967 à 976) qui rendent l'alternative plus brutale.

Les hypothèses et attentes du spectateur

8 Sur quel personnage le sort de la pièce repose-t-il désormais ? À quelle suite le spectateur peut-il s'attendre ?

Écrire

Rédiger des didascalies

9 Ajoutez des didascalies à tous les endroits de la scène 6 où cela vous paraît nécessaire pour faire comprendre un jeu de scène ou pour expliciter qui parle à qui et comment.

Étudier une image

Le Départ d'Hector, David

10 Décrivez le dessin de David, *Le Départ d'Hector*, p. 84. Vous essaierez de rendre compte de la composition du dessin par l'organisation de votre description et de suggérer les mouvements des personnages.

Acte III

Scène 8

Andromaque, Céphise.

CÉPHISE

Je vous l'avais prédit, qu'en dépit de la Grèce,
De votre sort encor vous seriez la maîtresse.

ANDROMAQUE

Hélas ! de quel effet tes discours sont suivis !
980 Il ne me restait plus qu'à condamner mon fils.

CÉPHISE

Madame, à votre époux c'est être assez fidèle[1] :
Trop de vertu pourrait vous rendre criminelle.
Lui-même il porterait votre âme à la douceur.

ANDROMAQUE

Quoi ? je lui donnerais Pyrrhus pour successeur ?

CÉPHISE

985 Ainsi le veut son fils, que les Grecs vous ravissent[2].
Pensez-vous qu'après tout ses mânes[3] en rougissent ;
Qu'il méprisât, Madame, un roi victorieux
Qui vous fait remonter au rang de vos aïeux,
Qui foule aux pieds pour vous vos vainqueurs en colère,
990 Qui ne se souvient plus qu'Achille* était son père,
Qui dément ses exploits et les rend superflus ?

1. Vous avez suffisamment fait la preuve de votre fidélité.

2. Vous prennent.
3. L'âme du mort dans la religion romaine.

ANDROMAQUE

Dois-je les oublier, s'il ne s'en souvient plus ?
Dois-je oublier Hector* privé de funérailles,
Et traîné sans honneur autour de nos murailles[4] ?
995 Dois-je oublier son père[5] à mes pieds renversé,
Ensanglantant l'autel qu'il tenait embrassé ?
Songe, songe, Céphise, à cette nuit cruelle
Qui fut pour tout un peuple une nuit éternelle.
Figure-toi Pyrrhus, les yeux étincelants,
1000 Entrant à la lueur de nos palais brûlants,
Sur tous mes frères morts se faisant un passage,
Et de sang tout couvert échauffant le carnage.
Songe aux cris des vainqueurs, songe aux cris des mourants,
Dans la flamme étouffés, sous le fer expirants.
1005 Peins-toi dans ces horreurs Andromaque éperdue :
Voilà comme[6] Pyrrhus vint s'offrir à ma vue ;
Voilà par quels exploits il sut se couronner ;
Enfin voilà l'époux que tu me veux donner.
Non, je ne serai point complice de ses crimes ;
1010 Qu'il nous prenne, s'il veut, pour dernières victimes.
Tous mes ressentiments lui seraient asservis[7].

CÉPHISE

Hé bien ! allons donc voir expirer votre fils :
On n'attend plus que vous. Vous frémissez, Madame !

ANDROMAQUE

Ah ! de quel souvenir viens-tu frapper mon âme !
1015 Quoi ? Céphise, j'irai voir expirer encor
Ce fils, ma seule joie, et l'image d'Hector ?

4. Référence à l'*Iliade*. Voir v. 930 + note, p. 82.
5. Au chant II de l'*Énéide*, Pyrrhus tue Priam au pied de l'autel où chaque famille célébrait le culte des dieux domestiques : il commet un sacrilège.
6. Comment.
7. Une condition est sous-entendue : si j'épousais Pyrrhus, je n'aurais plus le droit de lui garder rancune.

Ce fils, que de sa flamme il me laissa pour gage ?
Hélas ! je m'en souviens, le jour que son courage
Lui fit chercher Achille, ou plutôt le trépas,
1020 Il demanda son fils, et le prit dans ses bras[8] :
« Chère épouse, dit-il en essuyant mes larmes,
J'ignore quel succès[9] le sort garde à mes armes ;
Je te laisse mon fils pour gage de ma foi :
S'il me perd, je prétends[10] qu'il me retrouve en toi.
1025 Si d'un heureux hymen la mémoire t'est chère,
Montre au fils à quel point tu chérissais le père. »
Et je puis voir répandre un sang si précieux ?
Et je laisse avec lui périr tous ses aïeux ?
Roi barbare, faut-il que mon crime l'entraîne[11] ?
1030 Si je te hais, est-il coupable de ma haine ?
T'a-t-il de tous les siens reproché le trépas ?
S'est-il plaint à tes yeux des maux qu'il ne sent pas ?
Mais cependant, mon fils, tu meurs, si je n'arrête
Le fer que le cruel tient levé sur ta tête.
1035 Je l'en puis détourner, et je t'y vais offrir ?
Non, tu ne mourras point : je ne le puis souffrir.
Allons trouver Pyrrhus. Mais non, chère Céphise,
Va le trouver pour moi.

CÉPHISE

Que faut-il que je dise ?

ANDROMAQUE

Dis-lui que de mon fils l'amour est assez fort…
1040 Crois-tu que dans son cœur il ait juré sa mort ?
L'amour peut-il si loin pousser sa barbarie ?

8. Évocation d'une scène de l'*Iliade* : les adieux d'Hector à Andromaque (chant VI).
9. Issue.
10. Je veux.
11. Andromaque à Pyrrhus : faut-il que mon crime (ne pas t'aimer) entraîne mon fils avec moi dans la mort.

CÉPHISE

Madame, il va bientôt revenir en furie.

ANDROMAQUE

Hé bien ! va l'assurer…

CÉPHISE

De quoi ? de votre foi ?

ANDROMAQUE

Hélas ! pour la promettre est-elle encore à moi ?
1045 Ô cendres d'un époux ! ô Troyens ! ô mon père !
Ô mon fils, que tes jours coûtent cher à ta mère !
Allons.

CÉPHISE

Où donc, Madame, et que résolvez-vous[12] ?

ANDROMAQUE

Allons sur son tombeau consulter mon époux.

12. Que décidez-vous, quelle résolution prenez-vous ?

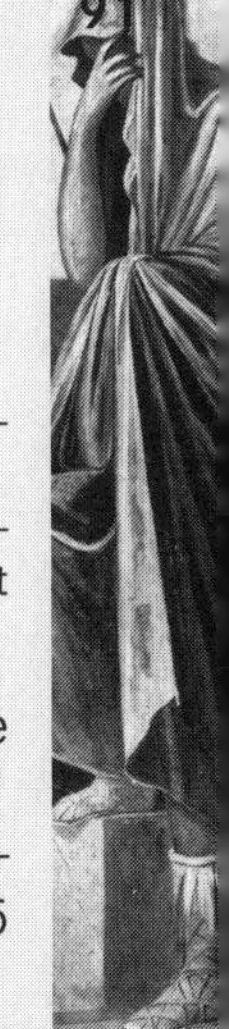

Repérer et analyser

Le dilemme

Le dilemme est la situation où un héros, confronté à deux exigences inconciliables, est obligé de choisir.
C'est un procédé dramatique très efficace, qui entraîne des plaintes, des hésitations, des délibérations, qui suspendent l'action, et des revirements, qui créent des effets de surprise.

1 Quelles sont les deux exigences entre lesquelles Andromaque est déchirée ?

2 **a.** Quel conseil Céphise donne-t-elle à Andromaque ? Quels arguments Céphise utilise-t-elle pour la convaincre (v. 981 à 983 et 985 à 991) ?
b. Par quels sentiments ces arguments sont-ils inspirés ? Andromaque peut-elle y être sensible ? Pourquoi ?
c. Quel argument décisif est implicitement contenu dans les vers 1012-1013 ?

3 Quelles sont les deux images du passé qu'Andromaque garde en mémoire ? En quoi ces deux images rendent-elles le dilemme plus violent ?

4 **a.** À quels personnages Andromaque s'adresse-t-elle successivement à la fin de la tirade (v. 1029 à 1036) ? Sont-ils présents sur scène ?
b. En quoi ces adresses à ces deux personnages traduisent-elles le déchirement intérieur d'Andromaque ?

Tragédie et poésie épique

L'épopée est un long poème qui raconte les exploits des héros. Est épique tout événement grandiose qui modifie l'histoire d'une nation.

L'ombre de la guerre de Troie (v. 992 à 1011)

5 Quel épisode de la guerre de Troie Andromaque revit-elle intensément ? Citez le texte.

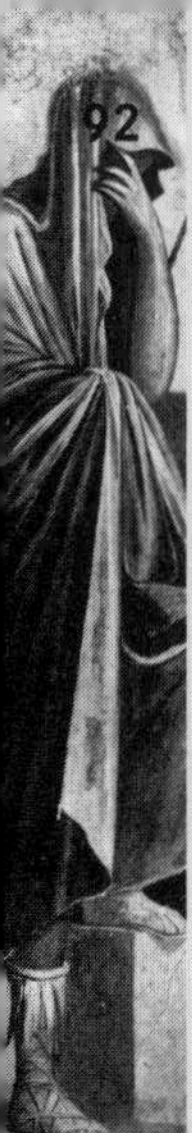

6 La répétition et l'anaphore

– La répétition d'un mot ou d'un groupe de mots est un procédé d'insistance fréquent au théâtre, car elle amplifie à la fois l'expression d'un état psychologique (angoisse, irritation) et l'acte de langage que réalise le personnage (déclaration, question, prière, ordre). Ex : « Retournez, retournez à la fille d'Hélène » (v. 342) est une exhortation d'Andromaque, excédée, à Pyrrhus.
– L'anaphore est la répétition d'un mot ou d'un groupe de mots en début de proposition ou de vers. Elle a la même fonction que la répétition, mais il s'y ajoute un effet poétique de rythme et de sonorités en écho.

a. Relevez les anaphores et les répétitions.
b. Dans quel but Andromaque utilise-t-elle ces formules d'insistance ?
c. Que souhaite-t-elle prouver à Céphise ?

7 Montrez que l'évocation de cette nuit revêt un caractère épique et visionnaire.
a. Relevez les deux adjectifs associés au mot « Nuit ».
b. Montrez, en citant le texte, que Pyrrhus est associé au feu, au sang au rouge, au carnage (le mot *pyrrhos* en grec signifie le feu). Quel est l'effet produit par le contraste des couleurs (nuit, feu, sang) ?
c. Relevez le champ lexical du carnage et de la mort. Quelles sont les scènes particulièrement cruelles et sanglantes ?

La scène des adieux (v. 1018 à 1026)

Le lyrisme élégiaque est l'expression poétique de la plainte et de la nostalgie douloureuse. On y trouve le lexique de la souffrance, des phrases de type exclamatif et interrogatif, des interjections exprimant la plainte, le regret.

8 **a.** Quel est le second souvenir qui vient à l'esprit d'Andromaque ? En quoi la vision évoquée contraste-t-elle avec la précédente et relève-t-elle du lyrisme élégiaque ? Appuyez-vous sur le lexique, les interjections, les types de phrases.
b. Quelle image du couple et de son enfant se dégage de ce passage ? Quel effet produit le fait qu'Andromaque rapporte directement les dernières paroles d'Hector ?

9 Quelles sont les dernières volontés d'Hector concernant son fils ? Que représentait ce fils pour le père ? Que représente-t-il désormais pour sa mère ?

Les attentes du spectateur

10 **a.** Comment, à partir du vers 1037, le profond désarroi d'Andromaque se manifeste-t-il dans les paroles, les déplacements et les gestes ? Appuyez-vous sur les types de phrases, les phrases interrompues, les répétitions de « Allons » (combien de fois et à quels vers), les apostrophes des vers 1045-1046.
b. Quelle décision Andromaque a-t-elle prise ? À quoi le spectateur peut-il s'attendre ?

Se documenter

Le culte des morts dans l'Antiquité

Les Anciens croyaient que les morts continuaient à vivre sous terre sous la forme « d'ombres », que les Romains appelaient « mânes ». C'est pourquoi l'un des impératifs religieux les plus importants, pour la famille et la cité, était le culte des morts.
Le mort devait être enseveli selon les rites : on lavait le corps pour le purifier, on l'exposait pour que ses proches puissent venir le pleurer, puis on l'enterrait. Il pouvait aussi être incinéré ; les cendres étaient alors recueillies dans une urne, elles ne devaient en aucun cas être dispersées. Dans certains cas, un tombeau vide, un cénotaphe, pouvait recevoir les offrandes, comme pour Hector en Épire.
S'il avait eu des funérailles rituelles et que sa famille lui offrait les libations (vin, lait, huile, miel) et les sacrifices (gâteaux, fruits, animaux) prescrits par la religion, le mort devenait une divinité bienfaisante pour les siens. Abandonné sans sépulture ou sans offrandes, il ne trouvait pas de repos, souffrait et pouvait devenir hostile.

Acte IV

Scène première

Andromaque, Céphise.

CÉPHISE

Ah ! je n'en doute point : c'est votre époux, Madame,
1050 C'est Hector qui produit ce miracle en votre âme.
Il veut que Troie* encor se puisse relever
Avec cet heureux[1] fils qu'il vous fait conserver.
Pyrrhus vous l'a promis. Vous venez de l'entendre,
Madame : il n'attendait qu'un mot pour vous le rendre.
1055 Croyez-en ses transports : père, sceptre, alliés,
Content de votre cœur, il met tout à vos pieds[2].
Sur lui, sur tout son peuple il vous rend souveraine.
Est-ce là ce vainqueur digne de tant de haine ?
Déjà contre les Grecs plein[3] d'un noble courroux,
1060 Le soin de votre fils le touche autant que vous :
Il prévient[4] leur fureur, il lui laisse sa garde ;
Pour ne pas l'exposer, lui-même il se hasarde[5].
Mais tout s'apprête au temple, et vous avez promis.

ANDROMAQUE

Oui, je m'y trouverai. Mais allons voir mon fils.

CÉPHISE

1065 Madame, qui vous presse ? Il suffit que sa vue
Désormais à vos yeux ne soit plus défendue.
Vous lui pourrez bientôt prodiguer vos bontés,

1. Que le sort favorise, qui a de la chance.
2. Satisfait s'il obtient votre amour, il met tout à vos pieds : père, sceptre, alliés.
3. Se rapporte au pronom personnel « le », Pyrrhus, au vers 1060.
4. Devance.
5. Il se met en danger.

Et vos embrassements ne seront plus comptés.
Quel plaisir d'élever un enfant qu'on voit craître[6],
1070 Non plus comme un esclave élevé pour son maître,
Mais pour voir avec lui renaître tant de rois !

ANDROMAQUE

Céphise, allons le voir pour la dernière fois.

CÉPHISE

Que dites-vous ? ô Dieux !

ANDROMAQUE

Ô ma chère Céphise,
Ce n'est point avec toi que mon cœur se déguise.
1075 Ta foi[7], dans mon malheur, s'est montrée à mes yeux ;
Mais j'ai cru qu'à mon tour tu me connaissais mieux.
Quoi donc ? as-tu pensé qu'Andromaque infidèle
Pût trahir un époux qui croit revivre en elle ;
Et que de tant de morts réveillant la douleur,
1080 Le soin de mon repos me fît troubler le leur ?
Est-ce là cette ardeur tant promise à sa cendre ?
Mais son fils périssait : il l'a fallu défendre,
Pyrrhus en m'épousant s'en déclare l'appui ;
Il suffit : je veux bien m'en reposer sur lui.
1085 Je sais quel est Pyrrhus. Violent, mais sincère,
Céphise, il fera plus qu'il n'a promis de faire.
Sur le courroux des Grecs je m'en repose encor :
Leur haine va donner un père au fils d'Hector*.
Je vais donc, puisqu'il faut que je me sacrifie,
1090 Assurer[8] à Pyrrhus le reste de ma vie ;

6. Craître = croître, grandir : prononciation de l'époque, mais aussi accord de la rime.

7. Fidélité.

8. Engager fermement.

Je vais, en recevant sa foi[9] sur les autels,
L'engager à mon fils par des nœuds immortels.
Mais aussitôt ma main, à moi seule funeste,
D'une infidèle vie abrégera le reste,
1095 Et sauvant ma vertu, rendra ce que je doi[10]
À Pyrrhus, à mon fils, à mon époux, à moi.
Voilà de mon amour l'innocent stratagème ;
Voilà ce qu'un époux m'a commandé lui-même.
J'irai seule rejoindre Hector et mes aïeux.
1100 Céphise, c'est à toi de me fermer les yeux.

CÉPHISE

Ah ! ne prétendez pas[11] que je puisse survivre...

ANDROMAQUE

Non, non, je te défends, Céphise, de me suivre.
Je confie à tes soins mon unique trésor :
Si tu vivais pour moi, vis pour le fils d'Hector.
1105 De l'espoir des Troyens seule dépositaire,
Songe à combien de rois tu deviens nécessaire.
Veille auprès de Pyrrhus ; fais-lui garder sa foi :
S'il le faut, je consens qu'on lui parle de moi.
Fais-lui valoir l'hymen où je me suis rangée[12] ;
1110 Dis-lui qu'avant ma mort je lui fus engagée,
Que ses ressentiments doivent être effacés,
Qu'en lui laissant mon fils, c'est l'estimer assez[13].
Fais connaître à mon fils les héros de sa race ;
Autant que tu pourras, conduis-le sur leur trace.
1115 Dis-lui par quels exploits leurs noms ont éclaté,

9. Serment de fidélité (entre époux).
10. Orthographe ancienne.
11. N'exigez pas de moi.
12. Rappelle-lui l'importance des liens du mariage auquel je me suis soumise.
13. Construction elliptique : je montre suffisamment que je l'estime.

Plutôt ce qu'ils ont fait que ce qu'ils ont été;
Parle-lui tous les jours des vertus de son père;
Et quelquefois aussi parle-lui de sa mère.
Mais qu'il ne songe plus, Céphise, à nous venger:
120 Nous lui laissons un maître, il le doit ménager.
Qu'il ait de ses aïeux un souvenir modeste:
Il est du sang d'Hector, mais il en est le reste;
Et pour ce reste enfin j'ai moi-même en un jour
Sacrifié mon sang, ma haine et mon amour.

CÉPHISE

125 Hélas!

ANDROMAQUE

Ne me suis point, si ton cœur en alarmes
Prévoit qu'il ne pourra commander à tes larmes.
On vient. Cache tes pleurs, Céphise, et souviens-toi
Que le sort d'Andromaque est commis[14] à ta foi.
C'est Hermione. Allons, fuyons sa violence.

Andromaque et Astyanax. Détail du tableau de Pierre-Narcisse Guérin (1774-1833), *Andromaque et Pyrrhus* (1813), Bordeaux, musée des Beaux-Arts.

14. Confié.

Questions

Repérer et analyser

La progression de l'action

1 Que s'est-il passé hors scène entre l'acte III et l'acte IV ? Dans quel lieu Andromaque s'est-elle rendue ?

2 **a.** Quel est l'état d'esprit de Céphise au début de la scène ?
b. Qu'en déduit le spectateur quant à la décision prise par Andromaque ? En quoi le dramaturge ménage-t-il le suspense ?

3 **a.** Quelle parole d'Andromaque marque un coup de théâtre ?
b. Quelle décision a-t-elle prise (v. 1089 à 1099) ?
c. En quoi l'action paraît-elle se diriger vers sa résolution ?

Les personnages

4 **a.** Comment Andromaque justifie-t-elle son choix ? Appuyez-vous sur les vers 1077 à 1080, 1082-1083 et 1095-1096.
b. Ce choix vous paraît-il héroïque, honnête vis-à-vis d'Astyanax, de Pyrrhus et même d'Hector ? Justifiez votre réponse.

5 Pour quelles raisons Andromaque fait-elle confiance à Pyrrhus (v. 1085 à 1088) ? Quelles qualités lui concède-t-elle ?

6 **a.** Quelle est la réaction de Céphise ?
b. Quelles sont les deux missions dont la charge Andromaque (v. 1103 à 1112 et 1113 à 1118) ?
c. Une simple suivante est-elle apte à les remplir ? Quel aspect pathétique de la situation d'Andromaque est ainsi rappelé ?

Les attentes du spectateur et la visée

7 Quel personnage survient à la fin de la scène ? Dans quel état d'esprit peut-il être ?

8 Le tragique

> Selon le critique grec Aristote, la tragédie repose sur la terreur (crainte qu'il survienne malheur au héros) et la pitié (compassion du spectateur qui partage les souffrances du héros).

Quel sentiment le spectateur éprouve-t-il pour Andromaque et Astyanax ? En quoi cette scène relève-t-elle du tragique ?

Acte IV

Scène 2

Hermione, Cléone.

CLÉONE

1130 Non, je ne puis assez admirer[1] ce silence.
Vous vous taisez, Madame, et ce cruel mépris
N'a pas du moindre trouble agité vos esprits ?
Vous soutenez en paix une si rude attaque,
Vous qu'on voyait frémir au seul nom d'Andromaque ?
1135 Vous qui sans désespoir ne pouviez endurer
Que Pyrrhus d'un regard la voulût honorer ?
Il l'épouse : il lui donne, avec son diadème,
La foi que vous venez de recevoir vous-même,
Et votre bouche encor muette à tant d'ennui[2]
1140 N'a pas daigné s'ouvrir pour se plaindre de lui ?
Ah ! que je crains, Madame, un calme si funeste !
Et qu'il vaudrait bien mieux…

HERMIONE

Fais-tu venir Oreste ?

CLÉONE

Il vient, Madame, il vient ; et vous pouvez juger
Que bientôt à vos pieds il allait se ranger[3].
1145 Prêt à servir toujours sans espoir de salaire,
Vos yeux ne sont que trop assurés de lui plaire.
Mais il entre.

1. M'étonner de.
2. Chagrin.
3. Il était sur le point de se mettre à vos pieds, de se soumettre à vos volontés.

Acte IV

Scène 3

Oreste, Hermione, Cléone.

ORESTE

Ah ! Madame, est-il vrai qu'une fois
Oreste en vous cherchant obéisse à vos lois ?
Ne m'a-t-on point flatté d'une fausse espérance ?
1150 Avez-vous en effet[4] souhaité ma présence ?
Croirai-je que vos yeux, à la fin désarmés,
Veulent…

HERMIONE

Je veux savoir, Seigneur, si vous m'aimez.

ORESTE

Si je vous aime ? Ô Dieux ! mes serments, mes parjures,
Ma fuite, mon retour, mes respects, mes injures[5],
1155 Mon désespoir, mes yeux de pleurs toujours noyés,
Quels témoins croirez-vous, si vous ne les croyez ?

HERMIONE

Vengez-moi, je crois tout.

ORESTE

Hé bien ! allons, Madame :
Mettons encore un coup toute la Grèce en flamme[6] ;
Prenons, en signalant mon bras et votre nom,
1160 Vous, la place d'Hélène*, et moi, d'Agamemnon*.

4. Réellement.
5. Mon humiliation.
6. Enflammons l'ardeur (au combat) des Grecs.

De Troie* en ce pays réveillons les misères,
Et qu'on parle de nous ainsi que de nos pères.
Partons, je suis tout prêt.

HERMIONE

Non, Seigneur, demeurons :
Je ne veux pas si loin porter de tels affronts.
1165 Quoi ? de mes ennemis couronnant l'insolence,
J'irais attendre ailleurs une lente vengeance ?
Et je m'en remettrais au destin des combats,
Qui peut-être à la fin ne me vengerait pas ?
Je veux qu'à mon départ toute l'Épire* pleure.
1170 Mais si vous me vengez, vengez-moi dans une heure.
Tous vos retardements sont pour moi des refus.
Courez au temple. Il faut immoler…

ORESTE

Qui ?

HERMIONE

Pyrrhus.

ORESTE

Pyrrhus, Madame ?

HERMIONE

Hé quoi ? Votre haine chancelle ?
Ah ! courez, et craignez que je ne vous rappelle.
1175 N'alléguez point des droits que je veux oublier ;
Et ce n'est pas à vous à le[7] justifier.

7. Ce n'est pas à vous de défendre Pyrrhus.

ORESTE

Moi, je l'excuserais ? Ah ! vos bontés[8], Madame,
Ont gravé trop avant ses crimes dans mon âme.
Vengeons-nous, j'y consens, mais par d'autres chemins.
1180 Soyons ses ennemis, et non ses assassins :
Faisons de sa ruine une juste conquête[9].
Quoi ? pour réponse, aux Grecs porterai-je sa tête ?
Et n'ai-je pris sur moi le soin de tout l'État
Que pour m'en acquitter par un assassinat ?
1185 Souffrez, au nom des Dieux, que la Grèce s'explique,
Et qu'il meure chargé de la haine publique.
Souvenez-vous qu'il règne, et qu'un front couronné…

HERMIONE

Ne vous suffit-il pas que je l'ai condamné ?
Ne vous suffit-il pas que ma gloire offensée
1190 Demande une victime à moi seule adressée ;
Qu'Hermione est le prix d'un tyran opprimé[10] ;
Que je le hais ; enfin, Seigneur, que je l'aimai ?
Je ne m'en cache point : l'ingrat m'avait su plaire,
Soit qu'ainsi l'ordonnât mon amour ou mon père,
1195 N'importe ; mais enfin, réglez-vous là-dessus[11].
Malgré mes vœux, Seigneur, honteusement déçus,
Malgré la juste horreur que son crime me donne,
Tant qu'il vivra, craignez que je ne lui pardonne.
Doutez jusqu'à sa mort d'un courroux incertain :
1200 S'il ne meurt aujourd'hui, je puis l'aimer demain.

8. Les bontés (sens galant : les faveurs) que vous avez eues pour Pyrrhus.
9. Le résultat d'une guerre légitime.
10. La récompense offerte pour la mort d'un tyran. « Opprimer », comme « accabler », a parfois chez Racine le sens de « tuer ».
11. Agissez en conséquence.

ORESTE

Hé bien ! il faut le perdre, et prévenir sa grâce[12] ;
Il faut… Mais cependant que faut-il que je fasse ?
Comment puis-je sitôt servir votre courroux ?
Quel chemin jusqu'à lui peut conduire mes coups ?
1205 À peine suis-je encore arrivé dans l'Épire*,
Vous voulez par mes mains renverser un empire ;
Vous voulez qu'un roi meure, et pour son châtiment
Vous ne donnez qu'un jour, qu'une heure, qu'un moment.
Aux yeux de tout son peuple il faut que je l'opprime[13] !
1210 Laissez-moi vers l'autel conduire ma victime,
Je ne m'en défends plus ; et je ne veux qu'aller
Reconnaître la place où je dois l'immoler.
Cette nuit je vous sers, cette nuit je l'attaque.

HERMIONE

Mais cependant ce jour il épouse Andromaque.
1215 Dans le temple déjà le trône est élevé ;
Ma honte est confirmée et son crime achevé.
Enfin qu'attendez-vous ? Il vous offre sa tête :
Sans gardes, sans défense, il marche à cette fête ;
Autour du fils d'Hector il les fait tous ranger ;
1220 Il s'abandonne au bras qui me voudra venger.
Voulez-vous, malgré lui, prendre soin de sa vie ?
Armez, avec vos Grecs, tous ceux qui m'ont suivie ;
Soulevez vos amis : tous les miens sont à vous.
Il me trahit, vous trompe, et nous méprise tous.
1225 Mais quoi ? déjà leur haine est égale à la mienne :
Elle épargne à regret l'époux d'une Troyenne.
Parlez : mon ennemi ne vous peut échapper,
Ou plutôt il ne faut que les laisser frapper.

| **12.** Agir avant que vous ne lui fassiez grâce. | **13.** L'assassine.

Conduisez ou suivez une fureur si belle;
1230 Revenez tout couvert du sang de l'infidèle;
Allez: en cet état soyez sûr de mon cœur.

ORESTE

Mais, Madame, songez…

HERMIONE

Ah! c'en est trop, Seigneur.
Tant de raisonnements offensent ma colère.
J'ai voulu vous donner les moyens de me plaire,
1235 Rendre Oreste content; mais enfin je vois bien
Qu'il veut toujours se plaindre, et ne mériter rien.
Partez: allez ailleurs vanter votre constance,
Et me laissez[14] ici le soin de ma vengeance.
De mes lâches bontés mon courage est confus[15],
1240 Et c'est trop en un jour essuyer de refus.
Je m'en vais seule au temple où leur hymen s'apprête,
Où vous n'osez aller mériter ma conquête[16].
Là, de mon ennemi je saurai m'approcher:
Je percerai le cœur que je n'ai pu toucher;
1245 Et mes sanglantes mains, sur moi-même tournées,
Aussitôt, malgré lui, joindront nos destinées;
Et tout ingrat qu'il est, il me sera plus doux
De mourir avec lui que de vivre avec vous.

ORESTE

Non, je vous priverai de ce plaisir funeste,
1250 Madame: il ne mourra que de la main d'Oreste.
Vos ennemis par moi vont vous être immolés,
Et vous reconnaîtrez mes soins[17], si vous voulez.

14. Laissez-moi.
15. J'ai honte de mes faiblesses envers vous.
16. De me conquérir.
17. Vous récompenserez mon dévouement.

HERMIONE

Allez. De votre sort laissez-moi la conduite,
Et que tous vos vaisseaux soient prêts pour notre fuite.

Acte IV

Scène 4

Hermione, Cléone.

CLÉONE

1255 Vous vous perdez, Madame ; et vous devez songer…

HERMIONE

Que je me perde ou non, je songe à me venger.
Je ne sais même encor, quoi qu'il m'ait pu promettre,
Sur d'autres que sur moi si je dois m'en remettre.
Pyrrhus n'est pas coupable à ses yeux comme aux miens,
1260 Et je tiendrais[18] mes coups bien plus sûrs que les siens.
Quel plaisir de venger moi-même mon injure[19],
De retirer mon bras teint du sang du parjure,
Et pour rendre sa peine et mes plaisirs plus grands,
De cacher ma rivale à ses regards mourants !
1265 Ah ! si du moins Oreste, en punissant son crime,
Lui laissait le regret de mourir ma victime !
Va le trouver : dis-lui qu'il apprenne à l'ingrat
Qu'on l'immole à ma haine, et non pas à l'État.
Chère Cléone, cours. Ma vengeance est perdue
1270 S'il ignore en mourant que c'est moi qui le tue.

18. Je considérerais (tenir pour).

19. L'offense qui m'est faite.

CLÉONE

Je vous obéirai. Mais qu'est-ce que je voi[20] ?
Ô Dieux ! Qui l'aurait cru, Madame ? C'est le Roi !

HERMIONE

Ah ! cours après Oreste ; et dis-lui, ma Cléone,
Qu'il n'entreprenne rien sans revoir Hermione.

Oreste et Hermione (détail), gravure d'après P. Chéry (fin XVIIIe siècle), Paris, Bibliothèque des Arts décoratifs.

20. Orthographe ancienne.

Repérer et analyser

La progression du dialogue

1 **a.** Quel acte Hermione demande-t-elle à Oreste d'accomplir ?
b. Relisez le vers 1172. Par quel procédé le nom de la victime est-il mis en valeur ?

2 **a.** Reformulez les arguments par lesquels Oreste marque sa résistance et ses hésitations à accomplir ce qu'Hermione lui demande.
b. Relevez les arguments successifs utilisés par Hermione pour vaincre la résistance d'Oreste. À quels sentiments font-ils appel ?

3 Quel argument d'Hermione emporte finalement la décision d'Oreste (v. 1240 à 1252) ? Pour quelle raison ? Oreste espère-t-il encore être aimé ? Quelles paroles le prouvent ?

Amour et jalousie

Les personnages raciniens passent facilement de l'amour à la haine. Haïr, c'est encore se préoccuper de l'autre, lui vouer un sentiment violent, exclusif.

4 Relevez les vers dans lesquels Hermione évoque sa haine pour Pyrrhus ou parle de lui comme d'un ennemi.

5 Montrez que sa jalousie et son désir de vengeance provoquent en elle un désir sanguinaire. Quel scénario envisage-t-elle (v. 1241 à 1248) ?

Les techniques théâtrales : la règle des trois unités

La règle des trois unités est une règle du théâtre classique selon laquelle une pièce ne doit développer qu'un seul sujet (unité d'action), doit se dérouler dans un lieu unique (unité de lieu) et ne doit pas excéder vingt-quatre heures (unité de temps).
La pièce d'Andromaque obéit parfaitement à la règle des trois unités : l'action est centrée sur le mariage de Pyrrhus, elle se déroule dans le palais de Pyrrhus, elle dure moins d'une journée, puisque Oreste est arrivé le matin et que le mariage doit être célébré dans la soirée.

6 Relevez à partir du vers 1156 toutes les expressions qui renvoient au temps et à l'espace. Montrez que la vengeance d'Hermione doit être immédiate.

7 Montrez que les solutions envisagées par Oreste pour éviter le meurtre de Pyrrhus sont contraires à la règle des trois unités. En quoi sont-elles par conséquent vouées à l'échec ?

Les hypothèses et attentes du spectateur

8 Quelle nouvelle péripétie se prépare ?

9 Quel personnage survient à la fin de la scène 4 ? Pourquoi Hermione demande-t-elle à Cléone de retenir Oreste ? Qu'espère-t-elle ?

Étudier la langue

Le lexique des sentiments

10 En vous aidant d'un dictionnaire, cherchez plusieurs adjectifs qualificatifs qui pourraient caractériser la manière d'être et de s'exprimer d'Hermione au cours de la scène 3.
Exemple : quelqu'un qui commande d'une façon absolue, sans admettre d'objections est « impérieux », « autoritaire », « tyrannique »…

11 Comment appelle-t-on quelqu'un de fier, qui ne fait pas cas des autres ? quelqu'un qui lutte pour obtenir ce qu'il veut ? quelqu'un qui est poussé à bout ? quelqu'un qui se laisse aller à la colère ?

Acte IV

Scène 5

Pyrrhus, Hermione, Phœnix.

PYRRHUS

1275 Vous ne m'attendiez pas, Madame ; et je vois bien
Que mon abord[1] ici trouble votre entretien.
Je ne viens point, armé d'un indigne artifice,
D'un voile d'équité couvrir mon injustice[2] :
Il suffit que mon cœur me condamne tout bas ;
1280 Et je soutiendrais mal ce que je ne crois pas.
J'épouse une Troyenne. Oui, Madame, et j'avoue
Que je vous ai promis la foi[3] que je lui voue.
Un autre vous dirait que dans les champs[4] troyens
Nos deux pères sans nous formèrent ces liens,
1285 Et que, sans consulter ni mon choix ni le vôtre,
Nous fûmes sans amour engagés l'un à l'autre ;
Mais c'est assez pour moi que je me sois soumis.
Par mes ambassadeurs mon cœur vous fut promis ;
Loin de les révoquer, je voulus y souscrire[5].
1290 Je vous vis avec eux arriver en Épire* ;
Et quoique d'un autre œil l'éclat victorieux
Eût déjà prévenu le pouvoir de vos yeux[6],
Je ne m'arrêtai point à cette ardeur nouvelle :
Je voulus m'obstiner à vous être fidèle,
1295 Je vous reçus en reine ; et jusques à ce jour
J'ai cru que mes serments me tiendraient lieu d'amour.

1. Arrivée.
2. Justifier l'injustice que je commets envers vous par un mensonge indigne de moi.
3. Amour fidèle.
4. Champs de bataille.
5. Loin de désavouer ces liens, je voulus les accepter.
6. L'amour de Pyrrhus pour Andromaque s'est déclaré avant l'arrivée d'Hermione et l'empêche d'être sensible au charme de la princesse.

Mais cet amour l'emporte, et par un coup funeste
Andromaque m'arrache un cœur qu'elle déteste.
L'un par l'autre entraînés, nous courons à l'autel
1300 Nous jurer, malgré nous, un amour immortel.
Après cela, Madame, éclatez contre un traître,
Qui l'est avec douleur, et qui pourtant veut l'être.
Pour moi, loin de contraindre[7] un si juste courroux,
Il me soulagera peut-être autant que vous.
1305 Donnez-moi tous les noms destinés aux parjures :
Je crains votre silence, et non pas vos injures[8],
Et mon cœur, soulevant mille secrets témoins[9],
M'en dira d'autant plus que vous m'en direz moins.

HERMIONE

Seigneur, dans cet aveu dépouillé d'artifice,
1310 J'aime à voir que du moins vous vous rendiez justice,
Et que voulant bien[10] rompre un nœud si solennel,
Vous vous abandonniez au crime en criminel.
Est-il juste, après tout, qu'un conquérant s'abaisse
Sous la servile loi de garder sa promesse ?
1315 Non, non, la perfidie a de quoi vous tenter ;
Et vous ne me cherchez que pour vous en vanter.
Quoi ? sans que ni serment ni devoir vous retienne,
Rechercher une Grecque, amant d'une Troyenne ?
Me quitter, me reprendre et retourner encor
1320 De la fille d'Hélène* à la veuve d'Hector* ?
Couronner tour à tour l'esclave et la princesse ;
Immoler Troie* aux Grecs, au fils d'Hector la Grèce ?
Tout cela part d'un cœur toujours maître de soi,
D'un héros qui n'est point esclave de sa foi[11].

7. Loin de m'opposer à.
8. Insultes verbales (sens actuel).
9. Témoignages.
10. Ayant la ferme volonté.
11. Parole donnée.

1325 Pour plaire à votre épouse, il vous[12] faudrait peut-être
Prodiguer les doux noms de parjure et de traître.
Vous veniez de mon front observer la pâleur,
Pour aller dans ses bras rire de ma douleur.
Pleurante après son char[13] vous voulez qu'on me voie ;
1330 Mais, Seigneur, en un jour ce serait trop de joie ;
Et sans chercher ailleurs des titres empruntés,
Ne vous suffit-il pas de ceux que vous portez ?
Du vieux père d'Hector la valeur abattue
Aux pieds de sa famille expirante à sa vue,
1335 Tandis que dans son sein votre bras enfoncé
Cherche un reste de sang que l'âge avait glacé[14] ;
Dans des ruisseaux de sang Troie ardente plongée ;
De votre propre main Polyxène* égorgée
Aux yeux de tous les Grecs indignés contre vous :
1340 Que peut-on refuser à ces généreux coups ?

PYRRHUS

Madame, je sais trop à quel excès de rage
La vengeance d'Hélène emporta mon courage.
Je puis me plaindre à vous[15] du sang que j'ai versé ;
Mais enfin je consens d'oublier le passé.
1345 Je rends grâces au ciel que votre indifférence
De mes heureux soupirs m'apprenne l'innocence.
Mon cœur, je le vois bien, trop prompt à se gêner,
Devait mieux vous connaître et mieux s'examiner.
Mes remords vous faisaient une injure mortelle ;
1350 Il faut se croire aimé pour se croire infidèle.

12. Il faudrait peut-être que je vous prodigue les doux noms…
13. Évocation du char de triomphe chez les Romains.
14. Voir v. 995-996 et note.
15. C'est pour venger Hélène, mère d'Hermione, que Pyrrhus a fait la guerre.

Vous ne prétendiez point m'arrêter dans vos fers[16] :
J'ai craint de vous trahir, peut-être je vous sers.
Nos cœurs n'étaient point faits dépendants l'un de l'autre ;
Je suivais mon devoir, et vous cédiez au vôtre.
1355 Rien ne vous engageait à m'aimer en effet.

HERMIONE

Je ne t'ai point aimé, cruel ? Qu'ai-je donc fait ?
J'ai dédaigné pour toi les vœux de tous nos princes ;
Je t'ai cherché moi-même au fond de tes provinces ;
J'y suis encor, malgré tes infidélités,
1360 Et malgré tous mes Grecs honteux de mes bontés.
Je leur ai commandé de cacher mon injure[17] ;
J'attendais en secret le retour d'un parjure ;
J'ai cru que tôt ou tard, à ton devoir rendu,
Tu me rapporterais un cœur qui m'était dû.
1365 Je t'aimais inconstant, qu'aurais-je fait fidèle[18] ?
Et même en ce moment où ta bouche cruelle
Vient si tranquillement m'annoncer le trépas,
Ingrat, je doute encor si je ne t'aime pas.
Mais, Seigneur, s'il le faut, si le ciel en colère
1370 Réserve à d'autres yeux la gloire de vous plaire,
Achevez votre hymen, j'y consens. Mais du moins
Ne forcez pas mes yeux d'en être les témoins.
Pour la dernière fois je vous parle peut-être :
Différez-le d'un jour ; demain vous serez maître.
1375 Vous ne répondez point ? Perfide, je le voi[19],
Tu comptes les moments que tu perds avec moi !
Ton cœur, impatient de revoir ta Troyenne,
Ne souffre qu'à regret qu'un autre t'entretienne.

16. Vous ne vouliez pas m'attacher à vous par des liens d'amour.
17. L'offense qui m'est faite.
18. Tournure elliptique : si tu avais été fidèle.
19. Orthographe ancienne.

Tu lui parles du cœur, tu la cherches des yeux.
380 Je ne te retiens plus, sauve-toi de ces lieux :
Va lui jurer la foi que tu m'avais jurée,
Va profaner des Dieux la majesté sacrée.
Ces Dieux, ces justes Dieux n'auront pas oublié
Que les mêmes serments avec moi t'ont lié.
385 Porte aux pieds des autels ce cœur qui m'abandonne ;
Va, cours. Mais crains encor d'y trouver Hermione.

Acte IV

Scène 6

Pyrrhus, Phœnix.

PHŒNIX

Seigneur, vous entendez. Gardez[20] de négliger
Une amante en fureur qui cherche à se venger.
Elle n'est en ces lieux que trop bien appuyée :
390 La querelle[21] des Grecs à la sienne est liée ;
Oreste l'aime encore ; et peut-être à ce prix…

PYRRHUS

Andromaque m'attend. Phœnix, garde son fils.

20. Prenez garde à ne pas.

21. La cause.

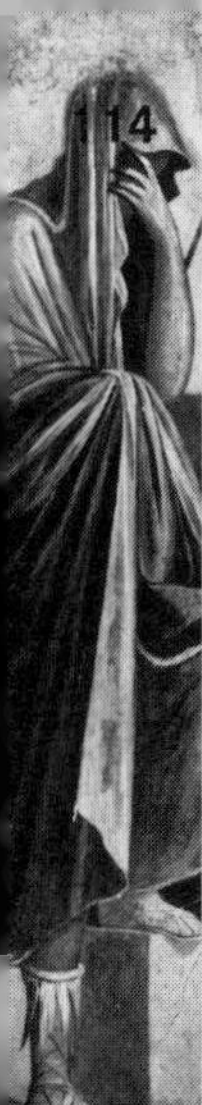

Questions

Repérer et analyser

La scène de rupture

La déclaration de Pyrrhus (v. 1275 à 1308)

1 **a.** Pourquoi Pyrrhus vient-il trouver Hermione ? Reconnaît-il ses torts ?
b. Quelle annonce claire lui fait-il ? Comment justifie-t-il sa rupture avec elle (v. 1283 à 1296) et son mariage avec Andromaque (v. 1297 à 1300) ?

La première tirade d'Hermione et la réponse de Pyrrhus

2 L'antiphrase et l'ironie

L'ironie consiste à dire le contraire de ce qu'on pense ou de ce qu'on veut faire comprendre, le plus souvent pour se moquer. L'ironie peut être légère, moqueuse, ou insolente, blessante. L'ironie est fondée sur l'antiphrase : emploi d'un mot ou d'une expression dans le sens contraire de ce qu'on veut dire, mais de telle sorte que celui à qui l'on s'adresse ne puisse pas s'y tromper.

a. En quoi les vers 1313-1314, 1317 à 1324 et 1325-1326 sont-ils ironiques ? À quoi Hermione réduit-elle les exploits guerriers de Pyrrhus (v. 1331 à 1339) ?
b. En quoi Hermione, dans cette tirade, fait-elle preuve d'orgueil ?

3 Montrez que Pyrrhus est piqué à son tour. Comment contre-attaque-t-il ? En quoi le vers 1355 est-il particulièrement provocant ?

La seconde tirade d'Hermione

4 **a.** En quoi le ton de la deuxième tirade d'Hermione est-il en rupture avec les vers précédents ? Comment se manifeste grammaticalement cette rupture ? Appuyez-vous sur les types de phrases et sur les pronoms personnels par lesquels Hermione désigne Pyrrhus.
b. Quels sentiments Hermione exprime-t-elle successivement dans cette tirade ? Citez les trois vers dans lesquels elle déclare explicitement son amour. Quelle supplication fait-elle à Pyrrhus ?
c. Quels vers contiennent une menace ? Laquelle ?

Les hypothèses et attentes du spectateur

5 Quelle est la réaction de Phœnix face à ces menaces (scène 6) ? Que laissent présager ses paroles ?

Acte V

Scène première

Hermione, *seule*.

Où suis-je ? Qu'ai-je fait ? Que dois-je faire encore ?
Quel transport me saisit ? Quel chagrin me dévore ?
1395 Errante, et sans dessein, je cours dans ce palais.
Ah ! ne puis-je savoir si j'aime, ou si je hais ?
Le cruel ! de quel œil il m'a congédiée !
Sans pitié, sans douleur, au moins étudiée[1].
L'ai-je vu se troubler et me plaindre un moment ?
1400 En ai-je pu tirer un seul gémissement ?
Muet à mes soupirs, tranquille à mes alarmes,
Semblait-il seulement qu'il eût part à mes larmes ?
Et je le plains encore ? Et pour comble d'ennui,
Mon cœur, mon lâche cœur s'intéresse[2] pour lui ?
1405 Je tremble au seul penser du coup qui le menace ?
Et prête à me venger, je lui fais déjà grâce ?
Non, ne révoquons point l'arrêt de mon courroux[3] :
Qu'il périsse ! Aussi bien il ne vit plus pour nous.
Le perfide triomphe et se rit de ma rage :
1410 Il pense voir en pleurs dissiper[4] cet orage ;
Il croit que toujours faible et d'un cœur incertain,
Je parerai d'un bras les coups de l'autre main.
Il juge encor de moi par mes bontés passées.
Mais plutôt le perfide a bien d'autres pensées.
1415 Triomphant dans le temple, il ne s'informe pas
Si l'on souhaite ailleurs sa vie ou son trépas.

1. Sans faire au moins semblant de compatir.
2. Prend son parti.
3. Je m'en tiendrai à la décision que j'ai prise pour satisfaire ma colère.
4. Se dissiper.

Il me laisse, l'ingrat ! cet embarras funeste[5].
Non, non, encore un coup : laissons agir Oreste.
Qu'il meure, puisqu'enfin il a dû le prévoir,
1420 Et puisqu'il m'a forcée enfin à le vouloir.
À le vouloir ? Hé quoi ? c'est donc moi qui l'ordonne ?
Sa mort sera l'effet de l'amour d'Hermione ?
Ce prince, dont mon cœur se faisait autrefois
Avec tant de plaisir redire les exploits,
1425 À qui même en secret je m'étais destinée
Avant qu'on eût conclu ce fatal hyménée,
Je n'ai donc traversé tant de mers, tant d'États,
Que pour venir si loin préparer son trépas ?
L'assassiner, le perdre ? Ah ! devant[6] qu'il expire...

Hermione. Détail du tableau de Pierre-Narcisse Guérin (1774-1833), *Andromaque et Pyrrhus* (1813), Bordeaux, musée des Beaux-Arts.

5. Cette décision pénible à prendre et aux conséquences tragiques.
6. Avant que (vieilli).

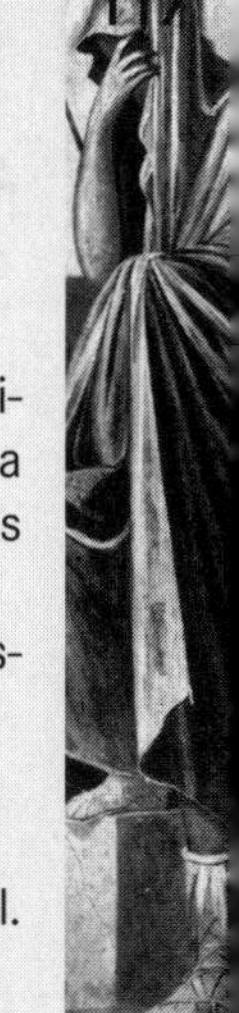

Repérer et analyser

Le monologue

1 Hermione est en proie à un conflit intérieur. Montrez, en délimitant les vers, qu'elle passe de la haine à l'amour puis à nouveau à la haine pour finir par l'amour. Pour quelle raison juge-t-elle dans les derniers vers la situation absurde ?

2 Comment s'exprime ce conflit sur le plan grammatical et stylistique ? Appuyez-vous sur :
- le type des phrases ;
- le rythme haché et haletant de certains vers que vous citerez ;
- la présence des verbes à l'impératif à la première personne du pluriel. Que traduisent-ils ?
- les antithèses (v. 1396, 1406, 1416...).

3 Relevez les termes par lesquels elle désigne Pyrrhus et ceux par lesquels elle qualifie son comportement aux vers 1397 à 1402, 1409, 1417, 1422. Quelles pensées lui prête-t-elle pour expliquer son attitude (v. 1409 à 1417) ? Que lui reproche-t-elle ?

Les attentes du spectateur

4 De quoi Hermione prend-elle conscience dans la dernière phrase ? Que peut imaginer le spectateur sur l'idée qui lui traverse l'esprit ?

5 En quoi la pièce s'achemine-t-elle vers un dénouement tragique ?

Mettre en scène

Le monologue d'Hermione

6 Ce monologue est un morceau de bravoure pour tragédienne. Apprenez-le par cœur et essayez-vous à le représenter. Comment imaginez-vous les déplacements et les gestes d'Hermione au début de la scène ? Comment rendre ses hésitations ?

Acte V

Scène 2

Hermione, Cléone.

HERMIONE

1430 Ah ! qu'ai-je fait, Cléone ? et que viens-tu me dire ?
Que fait Pyrrhus ?

CLÉONE

Il est au comble de ses vœux,
Le plus fier des mortels, et le plus amoureux.
Je l'ai vu vers le temple, où son hymen s'apprête,
Mener en conquérant sa nouvelle conquête ;
1435 Et d'un œil où brillaient sa joie et son espoir
S'enivrer en marchant du plaisir de la voir.
Andromaque, au travers de mille cris de joie,
Porte jusqu'aux autels le souvenir de Troie* :
Incapable toujours d'aimer et de haïr,
1440 Sans joie et sans murmure, elle semble obéir.

HERMIONE

Et l'ingrat ? jusqu'au bout il a poussé l'outrage ?
Mais as-tu bien, Cléone, observé son visage ?
Goûte-t-il des plaisirs tranquilles et parfaits ?
N'a-t-il point détourné ses yeux vers le palais ?
1445 Dis-moi, ne t'es-tu point présentée à sa vue ?
L'ingrat a-t-il rougi lorsqu'il t'a reconnue ?
Son trouble avouait-il son infidélité ?
A-t-il jusqu'à la fin soutenu[1] sa fierté ?

1. Persisté dans sa cruauté.

CLÉONE

Madame, il ne voit rien. Son salut et sa gloire
1450 Semblent être avec vous sortis de sa mémoire.
Sans songer qui le suit, ennemis ou sujets,
Il poursuit seulement ses amoureux projets.
Autour du fils d'Hector* il a rangé sa garde,
Et croit que c'est lui seul que le péril regarde[2].
1455 Phœnix même en répond, qui l'a conduit exprès
Dans un fort éloigné du temple et du palais.
Voilà, dans ses transports, le seul soin qui lui reste.

HERMIONE

Le perfide ! Il mourra. Mais que t'a dit Oreste ?

CLÉONE

Oreste avec ses Grecs dans le temple est entré.

HERMIONE

1460 Hé bien ! à me venger n'est-il pas préparé ?

CLÉONE

Je ne sais.

HERMIONE

Tu ne sais ? Quoi donc ? Oreste encore,
Oreste me trahit ?

CLÉONE

Oreste vous adore.
Mais de mille remords son esprit combattu
Croit tantôt son amour et tantôt sa vertu.

2. Que lui seul (Astyanax) court un danger.

1465 Il respecte en Pyrrhus l'honneur du diadème;
Il respecte en Pyrrhus Achille*, et Pyrrhus même;
Il craint la Grèce, il craint l'univers en courroux;
Mais il se craint, dit-il, soi-même plus que tous.
Il voudrait en vainqueur vous apporter sa tête:
1470 Le seul nom d'assassin l'épouvante et l'arrête.
Enfin il est entré, sans savoir dans son cœur
S'il en devait sortir coupable ou spectateur.

he's afraid of himself more than anything

HERMIONE

Non, non, il les verra triompher sans obstacle:
Il se gardera bien de troubler ce spectacle.
1475 Je sais de quels remords son courage est atteint:
Le lâche craint la mort, et c'est tout ce qu'il craint.
Quoi? sans qu'elle employât une seule prière,
Ma mère en sa faveur arma la Grèce entière?
Ses yeux pour leur querelle[3], en dix ans de combats,
1480 Virent périr vingt rois qu'ils ne connaissaient pas?
Et moi, je ne prétends[4] que la mort d'un parjure,
Et je charge un amant du soin de mon injure[5];
Il peut me conquérir à ce prix sans danger;
Je me livre moi-même, et ne puis me venger?
1485 Allons: c'est à moi seule à me rendre justice.
Que de cris de douleur le temple retentisse;
De leur hymen fatal troublons l'événement[6],
Et qu'ils ne soient unis, s'il se peut, qu'un moment.
Je ne choisirai point dans ce désordre extrême:
1490 Tout me sera Pyrrhus, fût-ce Oreste lui-même.
Je mourrai; mais au moins ma mort me vengera.
Je ne mourrai pas seule, et quelqu'un me suivra.

3. La cause d'Hélène.
4. Je ne réclame que.
5. Je charge un amant de réparer l'offense qui m'est faite.
6. Le déroulement, la réalisation.

Repérer et analyser

L'enchaînement des scènes

1 Pourquoi Cléone s'est-elle absentée ? Qu'est-elle allée faire ? Reportez-vous à la scène 4 de l'acte IV.

2 « Ah ! qu'ai-je fait, Cléone ? » (v. 1430) : identifiez le temps du verbe et justifiez l'emploi de ce temps. À quelle nouvelle Hermione s'attend-elle ?

Les techniques théâtrales : le récit

Le récit permet d'évoquer des actions qui ne peuvent pas être représentées sur scène pour des raisons matérielles. Elles se sont passées soit avant le lever du rideau : récit d'exposition (I, 1) ; récits de la guerre de Troie (I, 2 et III, 8) ; soit dans un autre lieu : le mariage au temple.
Le récit a une fonction dramatique : il a des répercussions sur les sentiments et les actions des personnages. Il doit également informer le spectateur et le plus souvent l'émouvoir.

3 Quel événement Cléone rapporte-t-elle ?

4 Relevez dans son récit les termes qui dépeignent Pyrrhus. À quel champ lexical appartiennent-ils ? Quel est l'état d'esprit de Pyrrhus ?

5 Quelles expressions traduisent l'attitude d'Andromaque ? Comment Cléone interprète-t-elle cette attitude ?

6 Quelles informations Cléone fournit-elle sur l'accueil fait à ce mariage par les habitants de l'Épire et sur la protection assurée à Astyanax ?

7 Montrez en citant le texte qu'Hermione est à l'affût du moindre signe prouvant que Pyrrhus pense à elle. Relevez le vers dans lequel elle revient à la jalousie et à la décision de tuer Pyrrhus.

8 **a.** Rappelez quelle est la nature de l'acte qu'Hermione a demandé à Oreste d'accomplir.
b. Oreste est-il prêt à obéir à cette demande ? Qu'en dit Cléone ?
c. Par quels procédés d'expression les hésitations d'Oreste sont-elles rendues dans les vers 1462 à 1472 ?

9 Comment réagit Hermione ? Pense-t-elle qu'Oreste va lui obéir ? Justifiez votre réponse.

10 Quelle décision Hermione prend-elle à la fin de la scène ?

Acte V

Scène 3

Oreste, Hermione, Cléone.

ORESTE

Madame, c'en est fait, et vous êtes servie :
Pyrrhus rend à l'autel son infidèle vie.

HERMIONE

1495 Il est mort ?

ORESTE

Il expire ; et nos Grecs irrités
Ont lavé dans son sang ses infidélités.
Je vous l'avais promis ; et quoique mon courage
Se fît de ce complot une funeste image,
J'ai couru vers le temple, où nos Grecs dispersés
1500 Se sont jusqu'à l'autel dans la foule glissés.
Pyrrhus m'a reconnu. Mais sans changer de face[1],
Il semblait que ma vue excitât son audace,
Que tous les Grecs, bravés en leur ambassadeur,
Dussent de son hymen relever la splendeur[2].
1505 Enfin, avec transport prenant son diadème,
Sur le front d'Andromaque il l'a posé lui-même.
« Je vous donne, a-t-il dit, ma couronne et ma foi :
Andromaque, régnez sur l'Épire* et sur moi.
Je voue à votre fils une amitié de père ;
1510 J'en atteste les Dieux, je le jure à sa mère.
Pour tous mes ennemis je déclare les siens[3],
Et je le reconnais pour le roi des Troyens. »

Astyanax

1. Physionomie.
2. Augmenter l'éclat de la cérémonie de son mariage.
3. Je déclare ne pas avoir d'autres ennemis que les siens.

À ces mots, qui du peuple attiraient le suffrage[4],
Nos Grecs n'ont répondu que par un cri de rage ;
1515 L'infidèle s'est vu partout envelopper,
Et je n'ai pu trouver de place pour frapper.
Chacun se disputait la gloire de l'abattre.
Je l'ai vu dans leurs mains quelque temps se débattre,
Tout sanglant à leurs coups vouloir se dérober ;
1520 Mais enfin à l'autel il est allé tomber.
Du peuple épouvanté j'ai traversé la presse
Pour venir de ces lieux enlever ma princesse,
Et regagner le port, où bientôt nos amis
Viendront couverts du sang que je vous ai promis.

HERMIONE

1525 Qu'ont-ils fait ?

ORESTE

Pardonnez à leur impatience :
Ils ont, je le vois bien, trahi votre vengeance.
Vous vouliez que ma main portât les premiers coups,
Qu'il sentît en mourant qu'il expirait pour vous ;
Mais c'est moi dont l'ardeur leur a servi d'exemple :
1530 Je les ai pour vous seule entraînés dans le temple,
Madame ; et vous pouvez justement vous flatter[5]
D'une mort que leurs bras n'ont fait qu'exécuter.
Vous seule avez poussé les coups...

HERMIONE

Tais-toi, perfide,
Et n'impute qu'à toi ton lâche parricide[6].
1535 Va faire chez tes Grecs admirer ta fureur ;

| **4.** L'approbation. | **5.** Vous féliciter à juste titre. | **6.** Meurtre du roi.

Va, je la désavoue, et tu me fais horreur.
Barbare, qu'as-tu fait ? Avec quelle furie
As-tu tranché le cours d'une si belle vie ?
Avez-vous pu, cruels, l'immoler aujourd'hui,
1540 Sans que tout votre sang se soulevât pour lui ?
Mais parle : de son sort qui t'a rendu l'arbitre ?
Pourquoi l'assassiner ? Qu'a-t-il fait ? À quel titre ?
Qui te l'a dit ?

ORESTE

Ô Dieux ! Quoi ? ne m'avez-vous pas
Vous-même, ici, tantôt, ordonné son trépas ?

HERMIONE

1545 Ah ! fallait-il en croire une amante insensée ?
Ne devais-tu[7] pas lire au fond de ma pensée ?
Et ne voyais-tu pas, dans mes emportements,
Que mon cœur démentait ma bouche à tous moments ?
Quand je l'aurais voulu, fallait-il y souscrire[8] ?
1550 N'as-tu pas dû cent fois te le faire redire ?
Toi-même avant le coup me venir consulter,
Y revenir encore, ou plutôt m'éviter ?
Que ne me laissais-tu le soin de ma vengeance ?
Qui[9] t'amène en des lieux où l'on fuit ta présence ?
1555 Voilà de ton amour le détestable fruit :
Tu m'apportais, cruel, le malheur qui te suit.
C'est toi dont l'ambassade, à tous les deux fatale,
L'a fait pour son malheur pencher vers ma rivale.
Nous le verrions encor nous partager ses soins ;
1560 Il m'aimerait peut-être, il le feindrait du moins.

7. N'aurais-tu pas dû. Voir v. 207 (p. 23) et v. 1348 (p. 111).
8. Y consentir, accepter de le faire.
9. Qu'est-ce qui.

Adieu. Tu peux partir. Je demeure en Épire :
Je renonce à la Grèce, à Sparte*, à son empire,
À toute ma famille ; et c'est assez pour moi,
Traître, qu'elle ait produit un monstre comme toi.

Acte V

Scène 4

Oreste, *seul.*

1565 Que vois-je ? est-ce Hermione ? Et que viens-je d'entendre ?
Pour qui coule le sang que je viens de répandre ?
Je suis, si je l'en crois, un traître, un assassin.
Est-ce Pyrrhus qui meurt ? et suis-je Oreste enfin ?
Quoi ? j'étouffe en mon cœur la raison qui m'éclaire ;
1570 J'assassine à regret un roi que je révère ;
Je viole en un jour les droits des souverains,
Ceux des ambassadeurs, et tous ceux des humains,
Ceux même des autels où ma fureur l'assiège :
Je deviens parricide, assassin, sacrilège.
1575 Pour qui ? Pour une ingrate à qui je le promets,
Qui même, s'il ne meurt, ne me verra jamais[10]
Dont j'épouse la rage. Et quand je l'ai servie,
Elle me redemande et son sang et sa vie !
Elle l'aime ! et je suis un monstre furieux !
1580 Je la vois pour jamais[11] s'éloigner de mes yeux !
Et l'ingrate, en fuyant, me laisse pour salaire
Tous les noms odieux que j'ai pris pour lui plaire !

10. Si je ne le tue pas, refusera de me revoir. Voir v. 1230-1248.
11. À jamais, pour toujours.

Questions

Repérer et analyser

Le récit d'Oreste (scène 3)

1 La règle des bienséances

Il se peut que le récit soit justifié par le respect des règles de bienséance qui interdisaient de représenter des actes de violence sur scène.

a. Que s'est-il passé hors scène ? Retrouvez la succession des faits racontés.
b. Relevez le lexique du sang et de la violence, vers 1495 à 1524.

2 **a.** À quel style de discours les dernières paroles de Pyrrhus sont-elles rapportées (v. 1507 à 1512) ? Quel est l'effet produit ?
b. Qu'apprend ainsi le spectateur sur la conduite de Pyrrhus ? A-t-il respecté ses engagements ? Comment appelle-t-il pour la première fois Andromaque ?

Le rôle d'Oreste

3 **a.** Relevez, vers 1516 à 1524, les verbes ayant pour sujet « je ». Oreste se présente-t-il comme acteur ou témoin du meurtre ?
b. De quoi Oreste se justifie-t-il, v. 1525 à 1533 ? Pourquoi ? Montrez qu'il a mal compris les exclamations d'Hermione, v. 1495 et 1525.
c. Le spectateur peut-il partager son erreur ? Pourquoi ?

4 Qui a assassiné Pyrrhus en fait ? Pour quelle raison ?

La réaction d'Hermione

5 **a.** Quelle est la réaction d'Hermione à ce récit (vers 1533 à 1543) ? Par quels procédés d'expression est souligné son brutal revirement (termes par lesquels elle désigne Oreste, pronoms de la deuxième personne, types de phrases…) ?
b. Quel effet peut produire sur Oreste le vers 1543 ?

6 **a.** Comment Hermione se désigne-t-elle au vers 1545 ? Cette appellation est-elle justifiée ?
b. Quels reproches fait-elle à Oreste dans les vers 1545 à 1553 ? En quoi se montre-t-elle à la fois lucide et de mauvaise foi ?

7 À qui Hermione attribue-t-elle la responsabilité de la mort de Pyrrhus (v. 1556 à 1564) ? Pourquoi ?

Le monologue d'Oreste (scène 4)

8 **a.** Identifiez le type de phrases dans les vers 1565 à 1568. Quel état d'esprit traduisent-elles ? Le spectateur peut-il penser que le personnage commence à délirer ?
b. Montrez qu'à partir du vers 1569, Oreste fait un bilan lucide de la situation. Combien de temps l'action a-t-elle duré ?

La dimension tragique

9 Montrez que la mort de Pyrrhus apparaît comme une fatalité et qu'elle est en même temps une punition voulue par les dieux.
a. Quelle est la part de responsabilité d'Oreste, d'Hermione, des Grecs ?
b. Relevez les termes qui signalent l'infidélité de Pyrrhus (v. 1493 à 1496, v. 1515). En quoi a-t-il commis une infidélité amoureuse et une infidélité politique ?
c. Pyrrhus a égorgé Priam au pied d'un autel. Où lui-même est-il mort ?
10 Le quiproquo

Le quiproquo est un malentendu qui fait prendre quelqu'un pour quelqu'un d'autre ou une chose pour une autre. Le quiproquo peut être comique ou tragique.

En quoi la mort de Pyrrhus est-elle fondée sur un quiproquo tragique ?

Les réactions des spectateurs

11 La mort de Pyrrhus est-elle pour le spectateur un coup de théâtre ? À quel événement tragique peut-il encore s'attendre ?

S'exprimer à l'oral

Imaginer le procès d'Hermione

Le réquisitoire est un discours par lequel le représentant du ministère public (l'État), au cours d'un procès, réclame l'application de la loi en développant les chefs d'accusation qui pèsent sur le prévenu.

12 **a.** Rédigez le réquisitoire du procureur royal d'Épire.
b. Rédigez la plaidoirie de l'avocat de la défense.
c. Vous pouvez représenter la session du tribunal avec les plaidoiries les plus réussies, demander à un jury de prononcer son verdict.

Acte V

Scène 5

Oreste, Pylade, soldats d'Oreste.

PYLADE

Il faut partir, Seigneur. Sortons de ce palais,
Ou bien résolvons-nous de n'en sortir jamais.
1585 Nos Grecs pour un moment en défendent la porte.
Tout le peuple assemblé nous poursuit à main forte[1].
Aux ordres d'Andromaque ici tout est soumis ;
Ils la traitent en reine, et nous comme ennemis.
Andromaque elle-même, à Pyrrhus si rebelle,
1590 Lui rend tous les devoirs d'une veuve fidèle,
Commande qu'on le venge, et peut-être sur nous
Veut venger Troie* encore et son premier époux.
Allons. N'attendons pas que l'on nous environne :
Nos Grecs nous rejoindront ; et tandis qu'Hermione
1595 Tient encore le peuple autour d'elle arrêté,
Voilà notre chemin, sortons en sûreté.

ORESTE

Non, non, c'est Hermione, amis, que je veux suivre.
À son dernier arrêt je ne puis plus survivre.
Partez : j'ai fait le crime, et je vais l'expier.

PYLADE

1600 Hermione, Seigneur ? Il la faut oublier.
Quoi ? toujours l'instrument et l'objet de sa rage,
Cherchez-vous chez les morts quelque nouvel outrage ?
Et parce qu'elle meurt, faut-il que vous mouriez ?

1. Avec des armes.

ORESTE

Elle meurt ? Dieux ! qu'entends-je ?

PYLADE

Hé quoi ? vous l'ignoriez ?

1605 En rentrant dans ces lieux, nous l'avons rencontrée
Qui courait vers le temple, inquiète, égarée.
Elle a trouvé Pyrrhus porté sur des soldats
Que son sang excitait à venger son trépas.
Sans doute à cet objet[2] sa rage s'est émue.
1610 Mais du haut de la porte enfin nous l'avons vue,
Un poignard à la main, sur Pyrrhus se courber,
Lever les yeux au ciel, se frapper et tomber.

ORESTE

Grâce aux Dieux ! Mon malheur passe[3] mon espérance.
Oui, je te loue, ô ciel, de ta persévérance.
1615 Appliqué sans relâche au soin de me punir,
Au comble des douleurs tu m'as fait parvenir.
Ta haine a pris plaisir à former ma misère ;
J'étais né pour servir d'exemple à ta colère,
Pour être du malheur un modèle accompli.
1620 Hé bien ! je meurs content[4], et mon sort est rempli.
Où sont ces deux amants ? Pour couronner ma joie,
Dans leur sang, dans le mien il faut que je me noie ;
L'un et l'autre en mourant je les veux regarder.
Réunissons trois cœurs qui n'ont pu s'accorder.
1625 Mais quelle épaisse nuit tout à coup m'environne ?
De quel côté sortir ? D'où vient que je frissonne ?
Quelle horreur me saisit ? Grâce au ciel, j'entrevoi[5]...
Dieux ! quels ruisseaux de sang coulent autour de moi !

2. À cette vue (latin : *objectum*, ce qui se trouve devant les yeux).
3. Dépasse.
4. Satisfait, comblé.
5. Orthographe ancienne.

PYLADE

Ah ! Seigneur !

ORESTE

Quoi ? Pyrrhus, je te rencontre encore ?
1630 Trouverai-je partout un rival que j'abhorre[6] ?
Percé de tant de coups, comment t'es-tu sauvé ?
Tiens, tiens, voilà le coup que je t'ai réservé.
Mais que vois-je ? À mes yeux Hermione l'embrasse ?
Elle vient l'arracher au coup qui le menace ?
1635 Dieux ! quels affreux regards elle jette sur moi !
Quels démons, quels serpents traîne-t-elle après soi ?
Hé bien ! filles d'enfer[7], vos mains sont-elles prêtes ?
Pour qui sont ces serpents qui sifflent sur vos têtes ?
À qui destinez-vous l'appareil[8] qui vous suit ?
1640 Venez-vous m'enlever dans l'éternelle nuit ?
Venez, à vos fureurs Oreste s'abandonne.
Mais non, retirez-vous, laissez faire Hermione :
L'ingrate mieux que vous saura me déchirer ;
Et je lui porte enfin mon cœur à dévorer.

PYLADE

1645 Il perd le sentiment[9]. Amis, le temps nous presse :
Ménageons[10] les moments que ce transport nous laisse.
Sauvons-le. Nos efforts deviendraient impuissants
S'il reprenait ici sa rage avec ses sens.

6. Dont j'ai horreur.
7. Les Érinyes.
8. Le cortège, l'escorte.
9. Il s'évanouit.
10. Employons utilement.

Repérer et analyser

Le récit de Pylade

1 Quelles informations Pylade fournit-il à Oreste ainsi qu'au spectateur sur les événements qui viennent de se produire :
– la réaction du peuple ;
– le comportement d'Andromaque ;
– le sort d'Hermione ?

2 **a.** Montrez que Pylade annonce incidemment la mort d'Hermione. Pour quelle raison ?
b. De quelle façon est-elle morte ?

La réaction d'Oreste

3 Relisez les vers 1613 à 1619. Montrez qu'Oreste a atteint les limites de ce qu'il peut supporter. Appuyez-vous sur le champ lexical dominant.

4 Quelle fin Oreste envisage-t-il pour lui ?

5 À partir de quel vers Oreste présente-t-il des symptômes évidents de folie ? Lesquels ? Montrez qu'il a des hallucinations visuelles et auditives.

6 L'allitération

L'allitération est une répétition de mêmes sons consonnes à intervalles marqués pour produire un effet expressif.

a. Quelle est la sonorité consonne répétée au vers 1638 ?
b. En quoi les sonorités s'accordent-elles avec le sens du vers ?

Le dénouement tragique

La tragédie prend toujours fin sur une ou plusieurs morts.

7 **a.** Pour quels personnages le dénouement est-il tragique ?
b. Qu'en est-il d'Andromaque ?
c. Pour quelle raison selon vous la pièce porte-t-elle son nom ?

Se documenter

Les Érinyes ou Furies

Ces divinités de la vengeance ont une origine très ancienne dans la mythologie grecque : elles sont nées d'Ouranos, le Ciel, et de Gaïa, la Terre, avant Zeus et les autres dieux de l'Olympe. Elles châtient les meurtriers, en particulier les parricides, car ils mettent en danger la famille et la société.

Signes de la malédiction divine et de l'exclusion sociale, symboles du remords qui ronge et rend fou, elles pouvaient être éloignées du criminel par une purification rituelle, qui avait lieu le plus souvent à Delphes, sous l'autorité du dieu Apollon.

Les Romains les appellent Furies et, comme les Grecs, se les représentent sous les traits de trois créatures féminines : Alecto, Tisiphone et Mégère, qui, d'après Virgile, habitent l'Enfer. Elles ont des serpents en guise de chevelure et poursuivent leurs victimes avec des torches enflammées ou des fouets.

Cette image frappante a laissé des traces dans notre vocabulaire, puisque « furie » et « mégère », devenus noms communs, désignent des femmes agressives ou acariâtres, qui tourmentent leur entourage.

Mort d'Oreste devant Pylade, gravure de Valentin Foulquier (1876) pour *Andromaque*, acte V, scène 5.

Questions de synthèse

Andromaque

Le cadre légendaire, les personnages, l'action

1 De quelle légende Racine s'est-il inspiré pour écrire Andromaque ? Rappelez les principaux événements qui constituent cette légende.

2 À quel moment par rapport à ces événements l'action se déroule-t-elle ?

3 **a.** De qui Pyrrhus et Oreste sont-ils les fils ? De qui Hermione est-elle la fille ?
b. Qui est l'époux défunt d'Andromaque ? En quoi Pyrrhus est-il impliqué dans sa mort ? Comment s'appelle le fils d'Andromaque ?
c. Qui sont les confidents de Pyrrhus et d'Hermione ? Qui est l'ami d'Oreste ?

4 Qui chacun des quatre personnages principaux aime-t-il ? Ces sentiments sont-ils réciproques ? Quel est le seul personnage qui vit un amour partagé mais toutefois impossible ?

5 **a.** Quel personnage, par son arrivée, déclenche l'action ?
b. Résumez les principaux rebondissements qui structurent l'action.
c. Quel est le dénouement ?

La double énonciation théâtrale, les règles du théâtre classique

6 **a.** Qu'appelle-t-on la double énonciation théâtrale ?
b. Par quels procédés les spectateurs sont-ils informés de ce qui s'est déroulé hors scène et des pensées intérieures des personnages ? Donnez des exemples dans la pièce.

7 **a.** Rappelez en quoi consiste la règle des trois unités.
b. Quel lieu unique est représenté par la scène du théâtre ? Quels sont les autres lieux hors scène évoqués par les personnages ?
c. La pièce respecte-t-elle la règle de l'unité de temps ? Justifiez.
d. Quelle est l'action principale sur laquelle repose la pièce ?

8 Qu'est-ce que la règle des bienséances ? Quels sont les épisodes qui ne sont pas représentés sur scène en vertu de cette règle ?

Le tragique, le destin tragique

9 La fatalité de la passion

a. Quels héros de la pièce sont victimes de leur passion ?

b. Indiquez en quoi, sous l'emprise de la passion, ces héros ont des comportements contraires à l'intérêt de leur patrie, à leur honneur de roi ou de princesse, à leurs convictions morales et même à la simple dignité d'homme ou de femme.

10 Le dilemme tragique

a. Quel est le chantage dont Andromaque est victime ? À quel dilemme est-elle confrontée ?

b. Quelle décision prend-elle ? L'exécutera-t-elle ?

11 La pièce d'Euripide, *Andromaque*, se termine par ces mots : « Les destinées se manifestent sous bien des formes différentes : les dieux accomplissent beaucoup de choses contre notre attente, et celles que nous attendions n'arrivent pas. »
Le dénouement de la pièce de Racine confirme-t-il cette sentence ? Montrez que les personnages sont à la fois victimes du destin et artisans de leurs propres maux.

12 Quelle conception du rapport entre liberté humaine et puissance divine est ainsi mise en scène ? En quoi le tragique naît-il de ce rapport ?

13 Chez les spectateurs, quels sentiments naissent du spectacle tragique ?

L'écriture de Racine

14 **a.** En quels vers la pièce est-elle écrite ?

b. Dites à quoi sont dus principalement le rythme et la musicalité du vers racinien.

c. Citez quelques exemples dans lesquels la musicalité et le rythme mettent en valeur les réactions et les états d'âme des personnages.

d. Citez d'autres exemples dans lesquels le vers prend une dimension épique.

Deuxième partie

Les héroïnes de l'Antiquité

Ulysse et Pénélope, peinture murale romaine (Ier siècle avant/après J.-C.), Italie, Pompéi.

Introduction

Une civilisation disparue

Au cours de l'étude d'*Andromaque*, nous avons rencontré des personnages qui ont continué à vivre dans la littérature française, plus de deux mille ans après la naissance des légendes dont ils sont les héros et les héroïnes.
Ils sont pour nous, Européens et Occidentaux en général, les témoins d'une civilisation disparue, qui a profondément influencé la nôtre ; cette seule raison suffirait à justifier notre intérêt pour eux. Mais bien au-delà de cette curiosité historique, des lecteurs, des spectateurs, des écrivains de diverses époques et de diverses cultures se sont reconnus en eux, ont retrouvé dans le récit de leurs aventures des formes et des significations toujours actuelles.
Rien n'est plus différent du statut et du mode de vie d'une femme grecque ou romaine que ceux d'une femme française du XXe siècle. Cependant, à travers les textes de ce dossier, nous allons entendre des filles, des amantes, des épouses et des mères exprimer des idées et des sentiments qui n'ont pas cessé de nous toucher.

Les femmes dans l'Antiquité

Jusqu'à l'apogée de l'empire romain, les femmes n'eurent aucun droit politique ni juridique : leur rôle se limitait à diriger la maison, et à donner à leur mari des enfants légitimes, de préférence des garçons qui perpétueraient le culte familial.
Le père était le maître absolu de la famille grecque ou latine. Il disposait, en plus de sa femme, de concubines libres ou esclaves ; sa femme lui devait obéissance, il pouvait la répudier et même, à l'époque d'Homère, la tuer en cas d'adultère. Sur ses enfants, filles ou garçons, il disposait, comme sur ses esclaves, du droit de vie et de mort. Ainsi, dès la naissance, le père pouvait refuser un enfant, en le faisant « exposer » en dehors de la maison. C'est lui également qui choisissait un mari pour ses filles, qui ne sortaient guère de l'appartement réservé aux femmes (le *gynécée* chez les Grecs), sauf à Sparte.

Tout ce qu'apprend une jeune Athénienne – essentiellement les travaux ménagers : cuisine, traitement de la laine et tissage, et peut-être aussi quelques éléments de lecture, de calcul et de musique – c'est auprès de sa mère, ou d'une aïeule, ou des servantes de la famille. La seule occasion normale de sortie pour les jeunes filles, ce sont certaines fêtes religieuses, où elles assistent au sacrifice et participent à la procession, comme on le voit sur la frise des Panathénées du Parthénon ; il faut bien tout de même que certaines d'entre elles apprennent à chanter et à danser pour participer aux chœurs religieux, mais les chœurs de jeunes filles et les chœurs de jeunes gens sont toujours rigoureusement séparés.

*Dans l'*Économique *de Xénophon, Ischomaque dit de sa jeune épouse : « Que pouvait-elle bien savoir, Socrate, quand je l'ai prise chez moi ? Elle n'avait pas encore quinze ans quand elle est venue dans ma maison ; jusque-là, elle vivait sous une stricte surveillance, elle devait voir le moins de choses possible, en entendre le moins possible, poser le moins de questions possible. »*

Tel était en effet l'idéal de la bonne éducation, de la sôphrosynè, *pour les jeunes filles.*

Et le même Ischomaque, s'adressant cette fois à sa femme, lui dit : « As-tu compris maintenant pourquoi je t'ai épousée et pourquoi tes parents t'ont donnée à moi ? C'est sans difficulté que nous aurions trouvé une autre personne pour partager mon lit ; tu le vois parfaitement, j'en suis sûr. Mais c'est après avoir réfléchi, moi pour mon propre compte et tes parents pour le tien, au meilleur des associés que nous pourrions nous adjoindre pour s'occuper de notre maison et de nos enfants, que je t'ai choisie, toi, comme tes parents m'ont choisi, moi, probablement parmi d'autres partis possibles. »

En effet, c'est le kyrios *de la jeune fille (son père, ou, à défaut, un frère né du même père ou un grand-père, ou enfin son tuteur légal) qui lui choisit un mari et qui décide pour elle. Sans doute était-elle consultée en de nombreux cas, mais rien ne nous l'atteste, et son consentement n'était nullement nécessaire.*

R. Flacelière, *La Vie quotidienne en Grèce au siècle de Périclès*, Hachette, 1959.

De Sophocle à Jean Anouilh

Antigone

Sophocle

Sophocle est un auteur tragique grec qui a vécu au Ve *siècle avant notre ère. Il fit jouer* Antigone *en 44 avant J.-C. La pièce est écrite en vers, elle est construite à partir du mythe d'Œdipe. Œdipe était fils de Laïos, roi de Thèbes et de la reine Jocaste. L'oracle de Delphes avait prédit au couple que le fils né de leur union tuerait son père et épouserait sa mère. Quand l'enfant naquit, ses parents l'abandonnèrent sur une montagne. Mais il fut recueilli et élevé par le roi de Corinthe. Quelques années plus tard, Œdipe apprend son terrible destin. Il fuit ceux qu'il croit être ses parents et se retrouve sur la route de Thèbes. À un carrefour, son char croise celui de Laïos ; il a une altercation avec lui et le tue sans savoir qu'il s'agit de son père. Il arrive aux portes de Thèbes et apprend que la cité est en grand désarroi : la reine est veuve et un monstre le Sphynx, mi-femme mi-lion, dévore tous ceux qui ne peuvent résoudre l'énigme qu'il leur soumet. Œdipe vient à bout de lui et en récompense, il épouse la reine Jocaste, sa mère, et devient roi de la cité. Il en a quatre enfants : deux fils, Étéocle et Polynice, deux filles, Antigone et Ismène. Un jour, Œdipe apprend la terrible vérité : il se crève les yeux et quitte la ville tandis que Jocaste se donne la mort. Ses deux fils décident de se partager le pouvoir et de régner un an à tour de rôle sur la ville. Mais au bout d'un an, Étéocle refuse de rendre à Polynice le pouvoir qui lui revient et il le chasse de la ville. Polynice s'allie avec des chefs grecs et attaque la cité. Les deux frères s'entre-tuent. Créon, le frère de Jocaste, devient alors le roi de Thèbes. À Étéocle qui avait combattu pour défendre la cité des assaillants, il accorde des funérailles en grande pompe, tandis que le corps de Polynice est interdit de sépulture et condamné à être abandonné aux oiseaux de proie. Quiconque tenterait de l'ensevelir serait condamné à mort. Antigone tente de braver les ordres de son oncle Créon et d'accomplir les rites funéraires, au nom des lois divines. Ismène, sa sœur, essaie de la dissuader de s'opposer au pouvoir.*

ANTIGONE

Aideras-tu mes bras à relever le mort ?

ISMÈNE

Quoi ! tu songes à l'ensevelir, en dépit de la défense faite à toute la cité ?

ANTIGONE

C'est mon frère – et le tien, que tu le veuilles ou non. J'entends
5 que nul ne soit en droit de dire que je l'ai trahi.

ISMÈNE

Mais, malheureuse, si Créon s'y oppose !

ANTIGONE

Créon n'a pas à m'écarter des miens.

ISMÈNE

Ah ! réfléchis, ma sœur, et songe à notre père. Il a fini odieux, infâme : dénonçant le premier ses crimes, il s'est lui-même, et
10 de sa propre main, arraché les deux yeux. Songe à celle qui fut et sa mère et sa femme, qui mérita ce double nom et détruisit sa vie dans le nœud d'un lacet. Songe enfin à nos deux frères, à ces infortunés qu'on vit en un seul jour se massacrer tous deux et s'infliger, sous des coups mutuels, une mort fratri-
15 cide ! Et, aujourd'hui encore, où nous restons toutes deux seules, imagine la mort misérable entre toutes dont nous allons périr, si, rebelles à la loi, nous passons outre à la sentence, au pouvoir absolu d'un roi. Rends-toi compte d'abord que nous

ne sommes que des femmes : la nature ne nous a pas faites
20 pour lutter contre des hommes ; ensuite que nous sommes
soumises à des maîtres, et dès lors contraintes d'observer leurs
ordres – et ceux-là et de plus durs encore… Pour moi, en tout
cas, je supplie les morts sous la terre de m'être indulgents, puisqu'en fait je cède à la force ; mais j'entends obéir aux pouvoirs
25 établis. Les gestes vains sont des sottises.

ANTIGONE

Sois tranquille, je ne te demande plus rien – et si même tu
voulais plus tard agir, je n'aurais pas la moindre joie à te sentir
à mes côtés. Sois donc, toi, ce qu'il te plaît d'être : j'enterrerai,
moi, Polynice et serai fière de mourir en agissant de telle sorte.
30 C'est ainsi que j'irai reposer près de lui, chère à qui m'est cher,
saintement criminelle. Ne dois-je pas plus longtemps plaire à
ceux d'en bas qu'à ceux d'ici, puisque aussi bien c'est là-bas
qu'à jamais je reposerai ? Agis, toi, à ta guise, et continue de
mépriser tout ce qu'on prise chez les dieux.

ISMÈNE

35 Je ne méprise rien ; je me sens seulement incapable d'agir contre
le gré de ma cité.

ANTIGONE

Couvre-toi de ce prétexte. Je vais, moi, de ce pas, sur le frère
que j'aime verser la terre d'un tombeau.

ISMÈNE

Ah ! malheureuse, que j'ai donc peur pour toi !

ANTIGONE

40 Ne tremble pas pour moi, et assure ta vie, à toi.

Sophocle, *Antigone*,
trad. de P. Mazon, éd. Les Belles-Lettres.

De Sophocle à Jean Anouilh

Antigone

Jean Anouilh

La pièce d'Anouilh est représentée le 4 février 1944 à Paris. Anouilh a conservé les données de l'intrigue mais s'écarte de Sophocle sur plusieurs points. La pièce, en prose, se caractérise par la modernité et la familiarité du langage, mais surtout par les rapports entre Créon et Antigone qui offrent deux conceptions différentes du pouvoir et de la vie. Chez Sophocle, Créon cherche à faire périr Antigone pour assurer son pouvoir. Chez Anouilh, il tente de la sauver pour désamorcer le conflit, étouffer le scandale et raisonner la jeune fille qui est fiancée à son fils.

LE GARDE

Faut-il lui remettre les menottes, chef ?

CRÉON

NON.

Les gardes sont sortis, précédés par le petit page.
Créon et Antigone sont seuls, l'un en face de l'autre.

CRÉON

Avais-tu parlé de ton projet à quelqu'un ?

ANTIGONE

Non.

CRÉON

As-tu rencontré quelqu'un sur ta route ?

ANTIGONE

5 Non, personne.

CRÉON

Tu en es bien sûre ?

ANTIGONE

Oui.

CRÉON

Alors, écoute : tu vas rentrer chez toi, te coucher, dire que tu es malade, que tu n'es pas sortie depuis hier. Ta nourrice dira
10 comme toi. Je ferai disparaître ces trois hommes.

ANTIGONE

Pourquoi ? Puisque vous savez bien que je recommencerai.

Un silence. Ils se regardent.

CRÉON

Pourquoi as-tu tenté d'enterrer ton frère ?

ANTIGONE

Je le devais.

CRÉON

Je l'avais interdit.

ANTIGONE, *doucement*

15 Je le devais tout de même. Ceux qu'on n'enterre pas errent éternellement sans jamais trouver de repos. Si mon frère vivant était rentré harassé d'une longue chasse, je lui aurais enlevé ses chaussures, je lui aurais fait à manger, je lui aurais préparé son lit... Polynice aujourd'hui a achevé sa chasse. Il rentre à
20 la maison où mon père et ma mère, et Étéocle aussi, l'attendent. Il a droit au repos.

CRÉON

C'était un révolté et un traître, tu le savais.

ANTIGONE

C'était mon frère.

CRÉON

Tu avais entendu proclamer l'édit aux carrefours, tu avais lu
25 l'affiche sur tous les murs de la ville ?

ANTIGONE

Oui.

CRÉON

Tu savais le sort qui y était promis à celui, quel qu'il soit, qui oserait lui rendre les honneurs funèbres ?

ANTIGONE

Oui, je le savais.

CRÉON

30 Tu as peut-être cru que d'être la fille d'Œdipe, la fille de l'orgueil d'Œdipe, c'était assez pour être au-dessus de la loi.

ANTIGONE

Non. Je n'ai pas cru cela.

CRÉON

La loi est d'abord faite pour toi, Antigone, la loi est d'abord faite pour les filles des rois !

ANTIGONE

35 Si j'avais été une servante en train de faire sa vaisselle, quand j'ai entendu lire l'édit, j'aurais essuyé l'eau grasse de mes bras et je serais sortie avec mon tablier pour aller enterrer mon frère.

CRÉON

Ce n'est pas vrai. Si tu avais été une servante, tu n'aurais pas
40 douté que tu allais mourir et tu serais restée à pleurer ton frère chez toi. Seulement tu as pensé que tu étais de race royale, ma nièce et la fiancée de mon fils, et que, quoi qu'il arrive, je n'oserais pas te faire mourir.

ANTIGONE

Vous vous trompez. J'étais certaine que vous me feriez mourir
45 au contraire.

Jean Anouilh, *Antigone*, éd. de la Table ronde, 1944.

Questions

Lire et comparer

L'héroïne de Sophocle et l'héroïne d'Anouilh

1 **a.** Pour quelle raison l'héroïne de Sophocle décide-t-elle de braver les ordres de son oncle ? Relevez au début de la scène la réplique précise d'Antigone qui l'indique.
b. Comparez avec la motivation de l'Antigone d'Anouillh. Relevez la réplique d'Anouilh qui fait écho à celle de Sophocle.
c. En quoi Ismène diffère-t-elle de sa sœur ? Quels sont ses arguments ?

2 Montrez que les deux héroïnes de Sophocle et d'Anouilh font preuve de la même détermination et du même courage : l'une face à sa sœur, l'autre face à son oncle. Appuyez-vous précisément sur le texte.

3 Quelle conception du pouvoir se dégage de chacun des extraits ?
a. Appuyez-vous sur les répliques d'Ismène : comment perçoit-elle le pouvoir ?
b. Montrez que Créon met en doute le courage d'Antigone. Comment interprète-t-il le geste d'Antigone ?

4 En quoi les deux Antigone sont-elles des héroïnes tragiques ?

Jean Cocteau (1889-1963), Antigone entre deux soldats (1922), dessin, Paris, BNF.

D'Homère à Nikos Kazantzaki

Hélène

Homère

C'est la plus célèbre des amantes grecques, celle dont l'adultère a causé la guerre de Troie. Homère chante sa beauté surhumaine. Dans la vie quotidienne, cependant, rien ne la distingue des autres femmes de son temps. Iris, la messagère des dieux, vient chercher Hélène pour qu'elle assiste, du haut des remparts, au combat de Ménélas et Pâris.

Mais Iris, à son tour, vient en messagère trouver Hélène aux bras blancs. [...] Et elle trouve Hélène en son palais en train de tisser une large pièce, un manteau doublé de pourpre. Elle y trace les épreuves des Troyens dompteurs de cavales et des
5 Achéens à cotte de bronze, les multiples épreuves qu'ils ont subies pour elle sous les coups d'Arès. Iris aux pieds rapides s'approche d'elle et dit :

« Viens, ma chère, viens voir : l'histoire est incroyable ! Les Troyens dompteurs de cavales[1] et les Achéens[2] à cotte de
10 bronze jusqu'ici, dans la plaine, allaient portant les uns contre les autres l'Arès, source de pleurs ; ils ne songeaient qu'à la guerre exécrable : les voilà maintenant assis et muets. La bataille a pris fin ; ils s'appuient à leurs boucliers ; leurs longues javelines, près d'eux, sont fichées en terre. Alexandre[3] et
15 Ménélas chéri d'Arès vont ensemble, pour t'avoir, combattre de leurs longues piques, et l'on t'appellera la femme de celui qui aura vaincu. »

Ainsi dit la déesse et elle met au cœur d'Hélène le doux désir de son premier époux, de sa ville, de ses parents. Vite, elle se

1. Chevaux.
2. Les Grecs.
3. Nom le plus fréquemment donné à Pâris chez Homère.

20 couvre d'un long voile blanc, et elle sort de sa chambre en versant de tendres pleurs. Elle n'est pas seule : deux suivantes l'accompagnent. Ethré, fille de Pitthée, ainsi que Clymène aux grands yeux. Bientôt elles arrivent où sont les portes Scées[4].

Or Priam, Panthoos et Thymoïtès, – Lampos et Clytios et 25 Hikétaon[5], rejeton d'Arès, – Oucalégon et Anténor, deux sages, – sont là qui siègent en Conseil des Anciens, près des portes Scées. L'âge pour eux a mis fin à la guerre. Mais ce sont de beaux discoureurs : on dirait des cigales, qui, dans le bois, sur un arbre, font entendre leur voix charmante. Tels 30 sont les chefs troyens siégeant sur le rempart. Ils voient Hélène monter sur le rempart, et, à voix basse, ils échangent des mots ailés :

« Non, il n'y a pas lieu de blâmer les Troyens ni les Achéens aux bonnes jambières, si, pour telle femme, ils souffrent si 35 longs maux. Elle a terriblement l'air, quand on l'a devant soi, des déesses immortelles… Mais, malgré tout, telle qu'elle est, qu'elle s'embarque et qu'elle parte ! qu'on ne la laisse pas ici, comme un fléau pour nous et pour nos fils plus tard ! »

Voilà comment ils parlent. Mais élevant la voix, Priam[6] 40 appelle Hélène :

« Avance ici, ma fille, assieds-toi devant moi. Tu vas voir ton premier époux, tes alliés et tes amis. – Tu n'es, pour moi, cause de rien : les dieux seuls sont cause de tout ; ce sont eux qui ont déchaîné cette guerre, source de pleurs, avec les Achéens. 45 – Je voudrais, par exemple, connaître le nom de ce guerrier prodigieux. Quel Achéen est-ce donc que ce héros si noble et grand ? Il en est de plus grands, sans doute, qui le dépassent de la tête. D'aussi beau en revanche, jamais mes yeux n'en ont vu, ni d'aussi imposant. Il a tout l'air d'un roi. »

4. Les portes Scées s'ouvraient sur la plaine du Scamandre et le champ de bataille troyen.
5. Lampos, Clytios et Hikétaon sont des frères de Priam.
6. Père de Pâris. Priam est devenu le beau-père d'Hélène.

50 Et la toute divine Hélène, ainsi répond :
« J'ai devant toi, père, autant de respect que de crainte. Ah ! comme j'aurais dû préférer le trépas cruel, le jour où j'ai suivi ton fils jusqu'ici, abandonnant ma chambre nuptiale, mes proches, ma fille[7] si choyée, mes aimables compagnes. Il n'en
55 a pas été ainsi ; et c'est pourquoi je me consume dans les pleurs. Mais je te répondrai puisque tu questionnes et enquêtes. Cet homme est le fils d'Atrée, le puissant prince Agamemnon, noble roi et puissant guerrier tout ensemble. Jadis il était aussi mon beau-frère, à moi, face de chienne – si ce passé a jamais
60 été vrai. »

Homère, *L'Iliade*, chant III,
trad. de P. Mazon, éd. Les Belles-Lettres.

D'Homère à Nikos Kazantzaki

Hélène

Kazantzaki

Un romancier grec contemporain, Nikos Kazantzaki, médite sur le pouvoir des mythes au cours d'une promenade autour de Sparte, qui a fait surgir l'image d'Hélène.

La terre sentait bon, et aux fleurs de citronniers pendaient des gouttes de rosée où dansait la lumière du soleil. Soudain une brise légère s'est mise à souffler, une fleur m'a frappé le front et m'a aspergé de rosée. J'ai frissonné, comme si une
5 main invisible m'avait touché, et toute la terre m'est apparue sous les traits d'Hélène, entre le rire et les larmes, au sortir de

7. Hermione.

son bain. Elle soulevait ses voiles brodés de fleurs de citronnier et, la paume de la main posée sur les lèvres, vierge à chaque instant nouvelle, suivait les pas d'un homme, du plus fort de 10 tous – et quand elle soulevait sa cheville de neige, son pied aux formes douces resplendissait ensanglanté.

Que serait Hélène, si le souffle d'Homère n'était passé sur elle ? Une belle femme, comme des milliers d'autres, qui sont passées sur la terre et ont disparu. On l'aurait enlevée, comme 15 on enlève encore souvent les jolies filles dans nos villages de montagne. Ce rapt aurait même allumé une guerre et tout, la guerre, la femme, le massacre, tout serait perdu si le Poète n'avait avancé la main pour les sauver. C'est au poète qu'Hélène doit son salut ; c'est à Homère que ce petit filet 20 d'eau, l'Eurotas[1], doit d'être immortel. Le sourire d'Hélène est répandu dans tout l'air de Sparte. Et ceci encore : Hélène est entrée dans notre sang, tous les hommes l'ont reçue en communion, toutes les femmes brillent encore de son éclat. Hélène est devenue un cri d'amour qui traverse les siècles, 25 éveille en chaque homme le désir du baiser et de la perpétuité, et métamorphose en Hélène la plus insignifiante femmelette que nous tenons dans nos bras.

Le désir prend, grâce à cette reine de Sparte, de hauts titres de noblesse, et la mystérieuse nostalgie d'une étreinte disparue 30 adoucit en nous la bête. Nous pleurons, crions, Hélène jette une plante magique dans le verre où nous buvons, et nous oublions notre peine ; elle tient à la main une fleur et son odeur éloigne les serpents ; elle touche les enfants laids et ils embellissent ; montée sur le bouc de la tragédie, elle balance son pied 35 à la sandale dénouée, et le monde tout entier devient une vigne.

Nikos Kazantzaki, *Bilan d'une vie, Lettre au Greco*, éd. Plon, 1961.

1. Petit fleuve qui arrosait la ville de Sparte.

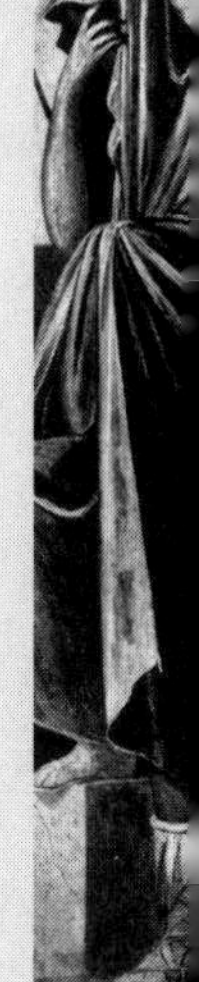

Lire et comparer

Extrait 1 (Homère)

Hélène, enjeu de la guerre

1 Quelle image est donnée d'Hélène dans les premières lignes ? En quoi s'agit-il d'une image apparemment empreinte de paix ? Quel élément suggère la guerre ?

2 Quel commentaire les vieux chefs troyens font-ils sur le physique d'Hélène (l. 27 à 37) ? En quoi ce physique a-t-il été une des causes de la guerre ? Référez-vous à la légende du jugement de Pâris.

3 Le roi Priam considère-t-il Hélène comme responsable de la guerre de Troie ? Justifiez votre réponse.

4 Comment Hélène se juge-t-elle elle-même (l. 50 à 60) ?

Les techniques d'écriture : l'épithète homérique

Dans l'*Iliade* et l'*Odyssée*, les dieux, les êtres, les lieux, les choses sont souvent caractérisés au moyen d'adjectifs et expressions poétiques qui mettent en valeur leurs qualités permanentes et que l'on appelle épithètes homériques.
Exemple : « Hélène aux bras blancs » (l. 1-2) ; « la guerre exécrable ». Ces formules souvent répétées rythmaient le texte ; elles avaient pour fonction d'aider la mémoire du récitant.

5 Relevez et classez en deux colonnes les épithètes homériques qualifiant des femmes et celles qualifiant des hommes. Quelles sont celles qui mettent en valeur des qualités physiques ou morales et celles qui mettent en valeur des qualités guerrières ?

Se documenter

6 À partir des indications du texte et de vos recherches complémentaires, décrivez le mode de vie, les relations familiales et les occupations d'une femme à l'époque d'Homère.

Extrait 2 (Nikos Kazantzaki)

Le traitement du mythe

7 **a.** Que symbolise Hélène actuellement ? Relevez les termes qui confèrent au mythe d'Hélène une portée universelle.

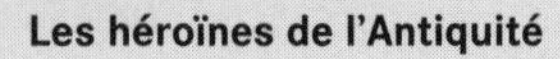

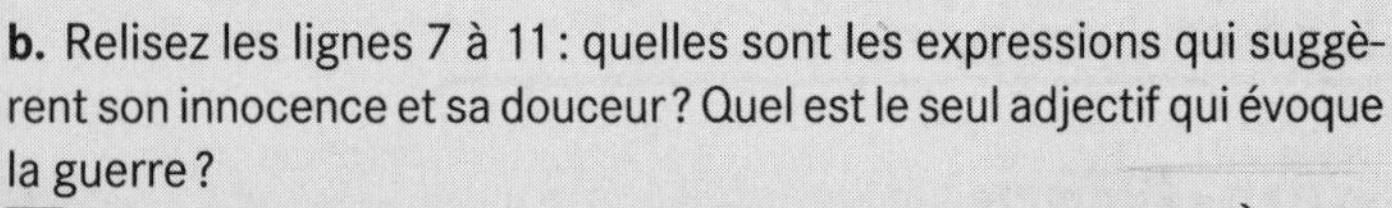

b. Relisez les lignes 7 à 11 : quelles sont les expressions qui suggèrent son innocence et sa douceur ? Quel est le seul adjectif qui évoque la guerre ?

8 Quels pouvoirs Nikos Kazantzaki attribue-t-il au poète ? À qui le compare-t-il lorsqu'il décrit les effets du mythe sur l'esprit des hommes ?

Enquêter : l'origine de la tragédie

9 La dernière phrase de l'extrait de Kazantzaki comporte des allusions à l'origine religieuse de la tragédie à Athènes. Recherchez des informations sur les rites de la cérémonie primitive et son évolution. À quel dieu était-elle dédiée ? Vous expliquerez ainsi l'allusion au bouc et à la vigne.

L'image d'Hélène (extraits 1 et 2)

10 Comparez l'image d'Hélène dans le texte de Nikos Kazantzaki avec celle de la légende homérique : quels aspects du personnage ont été retenus, amplifiés, et lesquels ont été effacés ?

Jacques-Louis David (1748-1825), *Les Amours de Pâris et Hélène*, détail (1789), Paris, musée du Louvre.

D'Homère à Jean Giono

Pénélope

Homère

*Parce qu'elle a attendu son mari pendant vingt ans, en prenant soin du patrimoine et de son fils, et parce qu'elle a farouchement refusé de se remarier, Pénélope est dans l'*Odyssée *d'Homère le modèle de la femme vertueuse et fidèle.*

Pénélope, qui n'a pas reconnu Ulysse déguisé en mendiant, lui raconte ses ruses pour échapper aux prétendants.

Étranger, certes, les Dieux m'ont ravi ma vertu et ma beauté du jour où les Argiens[1] sont partis pour Ilios[2], et, avec eux, mon mari Odysseus. S'il revenait et gouvernait ma vie, ma gloire serait plus grande et plus belle. Mais, maintenant, je 5 gémis, tant un Daimôn[3] funeste m'a accablée de maux. Voici que ceux qui dominent dans les Iles, à Doulikhios, à Samè, à Zakynthos couverte de bois, et ceux qui habitent l'âpre Ithakè elle-même, tous me recherchent malgré moi et ruinent ma maison. Et je ne prends plus soin des étrangers, ni des 10 suppliants, ni des hérauts qui agissent en public ; mais je regrette Odysseus et je gémis dans mon cher cœur. Et les Prétendants hâtent mes noces, et je médite des ruses. Et, d'abord, un Dieu m'inspira de tisser dans mes demeures une grande toile, large et fine, et je leur dis aussitôt : – Jeunes 15 hommes, mes Prétendants, puisque le divin Odysseus est mort, cessez de hâter mes noces, jusqu'à ce que j'aie achevé, pour que mes fils ne restent pas inutiles, ce linceul du héros Laertès[4], quand la Moire[5] mauvaise de la mort inexorable

1. Les Grecs.
2. Troie.
3. Un dieu.
4. Père d'Ulysse.

5. Une des trois fileuses qui dispose de la vie des humains : Clotho tient la quenouille et file la destinée au moment de la naissance, Lachésis tourne le fuseau et enroule le fil de l'existence, Atropos coupe le fil et détermine la mort.

l'aura saisi, afin qu'aucune des femmes akhaiennes[6] ne puisse
20 me reprocher devant tout le peuple qu'un homme qui a possédé tant de biens ait été enseveli sans linceul.

Je parlai ainsi, et leur cœur généreux fut persuadé ; et alors, pendant le jour, je tissais la grande toile, et pendant la nuit, ayant allumé des torches, je la défaisais. Ainsi, pendant trois
25 ans, je cachai ma ruse et trompai les Akhaiens ; mais quand vint la quatrième année, et quand les saisons recommencèrent, après le cours des mois et des jours nombreux, alors avertis par mes chiennes de servantes, ils me surprirent et me menacèrent, et, contre ma volonté, je fus contrainte
30 d'achever ma toile. Et, maintenant, je ne puis plus éviter mes noces, ne trouvant plus aucune ruse. Et mes parents m'exhortent à me marier, et mon fils supporte avec peine que ceux-ci dévorent ses biens, auxquels il tient ; car c'est aujourd'hui un homme, et il peut prendre soin de sa maison, et Zeus lui
35 a donné la gloire.

Homère, *L'Odyssée,* chant XIX, trad. de Leconte de Lisle.

D'Homère à Jean Giono

Pénélope

Jean Giono

Dans son roman, La Naissance de l'Odyssée, *Jean Giono prend le contre-pied du mythe et imagine qu'Ulysse a traîné de port en port et de femme en femme à son retour de Troie. Ses aventures, il les a inventées un soir d'ivresse, et racontées à un vieux guitariste aveugle qui a fait du mensonge une*

6. Les femmes grecques.

*légende. Pénélope n'est pas non plus le modèle de fidélité de l'*Odyssée *d'Homère : elle a un jeune amant, Antinoüs. Quand Ménélas, de passage à Cythère, l'apprend à Ulysse, celui-ci se décide à rentrer à Ithaque. Les deux époux se retrouvent.*

Une main se posa sur son épaule. Elle paraissait lourde, glacée, mais elle était sûrement parfumée aux jasmins, et, du coin de l'œil, Ulysse aperçut deux ongles roses taillés et peints avec art.

5 « Ulysse ! »

Cette voix évoquait d'anciens matins heureux.

« Ulysse ! » [...]

« Ulysse, pourquoi n'es-tu pas entré ce matin les mains ouvertes ? Je t'attendais ! Je n'ai pas cessé de t'attendre, depuis 10 ce soir malheureux du départ. Mon cœur te désirait en quittant l'estacade, et tu virais à peine ta proue vers Ilion ! Les autres sont revenus... Je sais, ne dis rien, jette-t-elle en hâte, car l'épaule d'Ulysse avait tressailli sous ses doigts, ne dis rien, ce n'est pas ta faute, je le sais. Quand les autres sont revenus, 15 j'étais toute fleurie d'espérance. J'avais paré la maison et ma chair : je me souviens comme d'hier. Nous montâmes, Eumée[1] et moi, à la roche des pies. Là, sous l'olivier qui garde l'entrée du détroit, j'ai guetté tout le jour la mer. Je mâchais des tiges de thym pour parfumer ma bouche, car tu allais venir ! 20 À la nuit, mes yeux tremblaient d'avoir trop longtemps reflété le halètement de l'eau luisante. Eumée me tendit le fromage et le pain. Le soir et ses vents chantèrent autour de nous. Il me donna son manteau : il savait que je ne descendrais pas. Je me souviens, un incendie de colline mangeait les bois de l'Élide. 25 Ses flammes ruisselaient dans les vagues comme du sang, et je nourrissais ma douleur avec l'étendue déserte de la mer.

1. Dans l'*Odyssée*, porcher d'Ithaque qui a hébergé Ulysse à son retour. Célèbre pour sa loyauté et son attachement à Ulysse.

Ô ! Ulysse ! depuis, je l'ai vécue cent fois et cent fois, cette nuit douloureuse ! Seule sur mon lit froid, j'ai sangloté comme une source. » [...]

30 « Pénélope, dit-il d'une voix assourdie, [...] Pénélope, parmi les dieux j'étais sans force, comme un arbre.

– Je t'attendais ! Celles de la ville se sont vite consolées. Il est venu des joueurs de flûte à peau noire, et leur musique ronflait comme un orage d'été dans les vallons. Ah ! Elles n'ont
35 pas porté longtemps le deuil des maris ! Un rumdum[2] de tambourelle et, seins au vent, elles tournaient, échevelées ! Le soir, dans les champs, et jusqu'autour de cette ferme où je pleurais, les amoureux, liés deux à deux, tombaient dans l'herbe comme des fruits mûrs.

40 – Pénélope, je songeais toujours à toi. Je bondissais sur les plages. Je me ruais dans la vague, je voulais nager vers toi jusqu'à la fin de ma vie. L'eau glissante se gonflait entre mes jambes et me rejetait sur le sable. Alors, les déesses sortaient des tamaris...

45 – Ah ! cruelles, trop belles déesses !

– Moins que ne l'imaginent les hommes, Pénélope, mais plus cruelles que l'âpre mort. Elles me retenaient loin de toi sans jamais d'espoir. J'étais comme une grive sous la lèque[3] creuse. Leur force écrasait mes os.

50 – Mais, ne voyais-tu jamais dans l'eau des îles ces fustes[4] crétoises qui volent, dit-on, jusqu'aux confins du monde ?

– C'était plus loin que les confins du monde, dans une mer qui ne porte pas de vaisseaux. Jamais rame crétoise n'écrira sur cette eau. La vague se haussait sur le ciel, fleurie d'écume,
55 plus haut que les pins de la côte : derrière elle chantait l'archipel. »

2. Onomatopée : roulement de tambour.
3. Mot provençal : piège à oiseaux.
4. Petit bateau rapide à voiles ou à rames.

Il se fit un silence pendant lequel Ulysse pensa à ruser pour connaître le fin mot de ce qu'un jour Ménélas et l'ânier avaient dit :

60 « Il me venait des terres humaines, poursuivit-il, un vent où bruissait la voix des dieux. Par lui je connaissais la vie d'Ithaque, et, mon plus grand tourment…

– Ah ! dit-elle aussitôt – et elle colla sa chair tiède contre le flanc d'Ulysse pour permettre à l'Aphrodite[5] de l'aider mieux, 65 – ma vie était terrible au milieu de l'amour. Ithaque, comme une braise, grésillait de caresses. Souvent, l'été, je tissais dans l'ombre de ma chambre. Un battement d'ailes emplissait le ciel, un dieu se posait sur le seuil de ma porte. Il ouvrait ses bras, tendait ses lèvres. Il avait la grâce du cygne, la persua- 70 sion de l'or, et je disais : « Laissez, je tisse mon linceul, jamais plus l'amour… » Car je portais ton souvenir comme une graine miraculeuse qui fleurit tout un pays. Et j'ai dressé leur colère contre moi parce que je ne voulais pas me creuser sous leurs embrassements. Leur voix jalouse…

75 – Antinoüs…, souffla Ulysse.

– Leur voix jalouse me parlait de Nausicaa…

– J'ai cherché ta chair dans leur chair, dit précipitamment Ulysse, la saveur de ta caresse et la forme de tes seins. Cela seul m'a permis de vivre. C'était toi que je tenais embrassée, 80 c'était toi qui dormais à côté de moi, c'était ton pied qui venait se chauffer au creux chaud de mes cuisses quand le gel fleurissait l'huis. Je disais « Pénélope » à l'ombre impalpable, et mon désir découpait dans les ténèbres un vase à ta forme et que ta vie emplissait. À travers toutes, c'est toi que j'aimais. »

85 Éros était sur eux.

« Viens ! » dit Pénélope.

Jean GIONO, *Œuvres romanesques complètes*, *Naissance de l'Odyssée*, éd. Grasset.

5. Déesse de l'amour.

Questions

Lire et comparer

La figure de l'héroïne homérique

1 Quel sentiment profond Pénélope éprouve-t-elle pour Ulysse ? Quelle est, pour elle, la vertu principale d'une épouse ? Montrez qu'elle est en accord avec elle-même.

2 De quelle qualité, traditionnellement attribuée à Ulysse, Pénélope fait-elle preuve dans son comportement avec les prétendants ? Justifiez votre réponse.

Le contexte de l'époque

La femme grecque n'ayant aucun droit juridique, elle ne pouvait gérer seule les biens de la famille. Aussi, en cas de décès du père, le patrimoine passait-il à ses enfants. Si le fils était trop jeune, ou s'il n'y avait que des filles, un tuteur était choisi dans la famille paternelle. Quant à la veuve, elle devait se remarier rapidement pour être prise en charge par son nouveau mari. À l'époque homérique, les prétendants avaient droit à l'hospitalité de la veuve jusqu'à ce qu'elle ait fait son choix.

3 Qui sont les prétendants ? Que viennent-ils faire dans la maison d'Ulysse ? Pourquoi ?

4 En quoi Pénélope va-t-elle à l'encontre des usages de l'époque (l. 24 à 29) ? Que lui conseillent ses proches (l. 30 à 32) ?

Le détournement du mythe

5 Comme chez Homère, Pénélope raconte sa longue attente dans l'extrait de Giono. Quelles sont les trois étapes de son récit (l. 8 à 29 ; l. 32 à 39 ; l. 63 à 74) ? Montrez l'évolution de ses sentiments.

6 **a.** Quels procédés emploient Ulysse et Pénélope pour atténuer ou nier leur adultère ? Lesquels sont communs aux deux époux ? Sont-ils dupes l'un de l'autre ? Justifiez votre réponse.

b. Quel est le ton du dialogue entre les deux époux ? Est-il le même que dans l'*Odyssée* ? Pourquoi ?

7 En quoi consiste l'amour conjugal pour Jean Giono d'après ce passage ?

8 Quelle Pénélope préférez-vous ? Pourquoi ?

Petit lexique des noms propres

Achille
Père de Pyrrhus. Fils de Pélée, roi de Thessalie, et de la nymphe Thétis. La légende rapporte que sa mère l'a rendu invulnérable, à l'exception du talon par lequel elle le tenait, en le plongeant tout bébé dans les eaux du Styx, fleuve des Enfers. C'est un des guerriers les plus valeureux de l'*Iliade*, mais il s'est retiré du combat à la suite d'une querelle de prestige avec Agamemnon. Ce n'est qu'après la mort de son ami Patrocle qu'il reprend le combat et triomphe d'Hector en combat singulier. Il est lui-même tué par Pâris qui, aidé du dieu Apollon, le blesse au talon, son seul point faible.

Agamemnon
Frère de Ménélas, père d'Oreste. C'est le plus puissant des rois grecs, le maître de Mycènes et d'Argos, alors à l'apogée de leur puissance. Il dirige la confédération achéenne, obtient des vents favorables au départ de la flotte grecque en sacrifiant sa fille Iphigénie à Aulis, port de Béotie. À son retour de Troie, il est assassiné par sa femme Clytemnestre et Égisthe, l'amant de celle-ci.

Andromaque
Femme d'Hector. Elle fait partie du butin de guerre de Pyrrhus, à qui, d'après la tradition, elle donne un fils, Molossos. Après la mort de Pyrrhus, elle se remarie avec Hélénos, un frère d'Hector, de qui elle a un autre fils, Pergamos. Racine a modifié la légende sur ces points (voir Introduction).

Argos
Capitale d'Agamemnon, ville du Péloponnèse.

Astyanax
Fils d'Hector et d'Andromaque. D'après la légende, dont s'écarte Racine, il est précipité du haut des murailles de Troie après la prise de la ville.

Buthrote
Capitale de Pyrrhus, ville d'Épire.

Cassandre
Sœur d'Hector, fille de Priam et d'Hécube, captive d'Agamemnon. Apollon, le dieu du soleil, des arts et de la divination est tombé amoureux d'elle ; il lui a octroyé le don de prophétie en échange de la promesse de ses faveurs. Mais, comme

elle s'est dérobée ensuite, le dieu empêche quiconque de croire ses prédictions.

Épire
Royaume excentré de Grèce, au Nord-Ouest de la Thessalie. C'est presque un pays barbare.

Hécube
Femme de Priam, mère de nombreux enfants dont Hector, Pâris, Cassandre, Hélénos et Polyxène.

Hector
Fils aîné de Priam, mari d'Andromaque. Champion des Troyens, il tue au combat de nombreux guerriers grecs, dont Patrocle, le compagnon d'Achille, à qui celui-ci avait prêté ses armes. Il tombe à son tour sous les coups d'Achille furieux. L'*Iliade* s'achève sur le récit de sa mort et de ses funérailles, après que Priam a obtenu d'Achille la restitution de son cadavre.

Hélène
Fille de Zeus, qui a pris la forme d'un cygne pour séduire Léda, femme de Tyndare. Clytemnestre est sa demi-sœur, engendrée par Tyndare. Femme de Ménélas, le frère d'Agamemnon, dont elle a une fille Hermione, elle est enlevée par Pâris, un des fils de Priam. D'après le mythe, sa beauté extraordinaire est à l'origine de la guerre de Troie.

Hermione
Fille de Ménélas et d'Hélène. Elle a été fiancée à Oreste toute jeune, mais, après la prise de Troie, son père la marie à Pyrrhus. D'après certaines légendes, elle épouse Oreste après le meurtre de Pyrrhus.

Ilion
Autre nom de Troie.

Ménélas
Roi de Sparte, en Grèce, père d'Hermione, mari d'Hélène, frère d'Agamemnon. Bien que vaillant, il n'est pas parmi les héros les plus brillants de la guerre de Troie. Le combat singulier qui l'oppose à son rival Pâris est interrompu par la déesse Aphrodite, qui dérobe Pâris derrière un nuage. À la fin de la guerre, il retrouve Hélène et tous deux regagnent Sparte après un long voyage.

Oreste
Fils d'Agamemnon et de Clytemnestre. Petit enfant lors de l'assassinat de son père, il est élevé par son oncle en Phocide. Il revient à Argos sur l'ordre d'un oracle d'Apollon pour venger son père et, aidé de sa sœur Électre, tue sa mère Clytemnestre et Égisthe, l'amant de sa mère. Poursuivi pour ce matricide par les Érinyes, déesses de la vengeance, il doit être purifié à Delphes, et acquitté par un tribunal

à Athènes. Puis il doit encore ramener en Grèce la statue de la déesse Artémis qui se trouve en Tauride (pays des Scythes). Là, il échappe à la mort grâce à l'intervention de sa sœur Iphigénie, miraculeusement sauvée du sacrifice et devenue prêtresse de la déesse Artémis.

Pâris
Fils de Priam, roi de Troie; il enleva Hélène, femme de Ménélas.

Phœnix
Gouverneur d'Achille, puis de Pyrrhus.

Phrygie
Région du Nord de l'Asie Mineure (actuelle Turquie) dont la capitale est Troie.

Polyxène
Plus jeune fille de Priam et d'Hécube, sacrifiée sur la tombe d'Achille.

Priam
Roi de Troie, époux d'Hécube. On leur attribue cinquante fils et autant de filles.

Pylade
Roi de Phocide, cousin et ami d'Oreste, avec qui il a été élevé. Il partage toutes ses aventures et épouse Électre, sa sœur, après le meurtre d'Égisthe et Clytemnestre.

Pyrrhus ou Néoptolème
Fils d'Achille et de Déidamie, que celui-ci a épousée quand sa mère le cachait, déguisé en fille sous le nom de Pyrrha, dans l'île de Scyros. Il se distingue lors de la prise de Troie et obtient Andromaque comme esclave. Hermione est sa fiancée ou son épouse légitime selon les versions de la légende.

Scythes
Habitants de la Scythie, autre nom de la Tauride (actuelle Crimée), royaume barbare où se pratiquaient des sacrifices humains.

Sparte
Capitale de Ménélas, ville du Péloponnèse.

Troie
Capitale du royaume de Priam, ville de Phrygie (actuelle Turquie, au nord d'Éphèse).

Ulysse
Roi d'Ithaque, réputé pour son ingéniosité et son habileté diplomatique. Il a eu l'idée du cheval de bois qui permit aux Grecs de s'introduire dans Troie. L'*Odyssée* d'Homère fait le récit de son voyage de retour.

Index des rubriques

Repérer et analyser

Le langage théâtral 17
Énonciation théâtrale, exposition 17, 18
Registre et dimension tragiques 18, 98, 127
L'alexandrin 18, 37
Les hypothèses et attentes du spectateur 19, 27, 36, 43, 51, 54, 61, 68, 72, 76, 86, 93, 98, 108, 114, 117
Les enjeux 26
Les arguments 26
La périphrase 26
La versification 27
Pyrrhus 27
La progression de l'action 27, 54, 98
Le rôle du confident 35, 43, 60
La métaphore 35
Pyrrhus et Andromaque 35, 85
La passion racinienne 36, 43, 51, 60
Hermione 43, 50, 126
L'antithèse 43
La tension dramatique 43
Oreste 50, 54, 67, 126, 127, 131
Le thème du regard 50
Les effets de symétrie 51
Le monologue 54, 117, 127
L'apostrophe 51
L'ironie tragique 54
Oreste et Pylade 67, 131
L'espace extérieur 67
Hermione et Oreste 72
Cléone et Hermione 72
L'interrogation oratoire 72
Hermione et Andromaque 75
Les didascalies internes 75
La requête d'Andromaque 75
L'enjambement 76
Le dépit amoureux 85
L'alternative 85
Le dilemme 91
Tragédie et poésie épique 91
Répétition et anaphore 92
La scène des adieux 92
Les personnages 98
La progression du dialogue 107
Amour et jalousie 107
Les techniques théâtrales 107, 121
La scène de rupture 114
Antiphrase et ironie 114
L'enchaînement des scènes 121
La règle des bienséances 126
Le quiproquo 127
Les réactions des spectateurs 127
L'allitération 131
Le dénouement tragique 131

Étudier la langue

19, 27, 37, 108

Se documenter

19, 37, 51, 76, 93, 132

Écrire, mettre en scène

61, 86, 117

Étudier une image

86

S'exprimer à l'oral

127

Table des illustrations

2h,g ph © Archives Hatier
2d ph © Akg-images
4 ph © Bulloz/Archives Hatier
9 © Collection Roger-Viollet
25 ph © Charmet/Bridgeman-Giraudon
34 Collection Kharbine-Tapabor
42 © Collection Roger-Viollet
49 © Collection Roger-Viollet
59 Collection Kharbine-Tapabor
68 ph © Charmet/Bridgeman-Giraudon
78 ph © Musée Condé, Chantilly/Lauros/Bridgeman-Giraudon
84 ph © G. Blot/RMN
97 ph © A. Danvers/RMN
106 ph © Charmet/Bridgeman-Giraudon
116 ph © A. Danvers/RMN
132 Collection Kharbine-Tapabor
135 ph © Alinari Brogi/Bridgeman-Giraudon
144 ph © BNF, Paris/Archives Hatier © Adagp, Paris 2005
150 ph © G. Blot/RMN

17, 18, 19, 20, 26, 27, 35, 36, 37, 43, 50, 51, 54, 60, 61, 67, 68, 72, 75, 76, 77, 78, 85, 86, 91, 92, 93, 98, 107, 108, 114, 117, 121, 126, 127, 131, 132, 144, 149, 150, 156 (détail) ph © Archives Hatier

Iconographie : Édith Garraud/Hatier Illustration
Cartographie : Domino
Graphisme : mecano-Laurent Batard
Mise en page : ALINÉA
Relecture : Anne Bleuzen

Achevé d'imprimer en France par CPI - Hérissey à Évreux (Eure) - N° 110231
05072144 - Dépôt légal n° 62822 - Décembre 2008